NÔL
Atgofion drwy Ganeuon

NÔL
Atgofion drwy Ganeuon

Ryland Teifi

Gol: Lyn Ebenezer

Gwasg Carreg Gwalch

Argraffiad cyntaf: 2020

Rhif Llyfr Safonol Rhyngwladol:

978-1-84527-686-7

Cyhoeddwyd gyda chymorth Cyngor Llyfrau Cymru

Dylunio'r clawr: Eleri Owen

Cyhoeddwyd gan Wasg Carreg Gwalch,
12 Iard yr Orsaf, Llanrwst, Dyffryn Conwy, Cymru LL26 0EH.
Ffôn: 01492 642031
e-bost: llyfrau@carreg-gwalch.cymru
lle ar y we: www.carreg-gwalch.cymru

Argraffwyd a chyhoeddwyd yng Nghymru

Cyflwynedig
i'r bedair sydd ym mhob cân –
Roisin, Lowri, Cifa a Myfi

Cynnwys

Pennod 1 – Nôl 8

Pennod 2 – Y Bachgen yn y Dyn 16

Pennod 3 – Rhannu Cof 26

Pennod 4 – Yr Eneth Glaf 37

Pennod 5 – The Deise Day 48

Pennod 6 – Craig Cwmtydu 58

Pennod 7 – Last of the Old Men 68

Pennod 8 – Brethyn Gwlân 80

Pennod 9 – Stori Ni 92

Pennod 10 – Lili'r Nos 102

Pennod 11 – Banjo 112

Pennod 12 – Dada 120

Pennod 13 – Pam fod Eira yn Wyn 130

Pennod 14 – Man Rhydd 140

I.

Nôl

Sefyll wrth y llwybr ger yr afon ar bwys tŷ ni,
Clirio'r drain a'r dwst o dan yr haul yn llosgi'n gry'
Chwilio am yr atgo' mwya' cry'
Ond does neb yn cofio'r ardal fel o' ti.

Pysgod lan o'r môr yn cwrdd â'r afon wrth y mur,
Bois yn dala'n anghyfreithlon gyda'u bache hir,
Chwilio am yr atgo' mwya' cry'
Ond does neb yn cofio'r ardal fel o' ti.

Yn ôl, yn ôl,
Yn ôl, yn ôl,
Yn ôl, yn ôl,
Yn ôl, yn ôl.

Ddoi di nôl i whilo pan ma'r haf yn dod i ben?
Cuddio yn y capel, blasu'r gwin tu ôl i'r llen,
Chwilio am yr atgo' mwya' cry',
Ond does neb yn cofio'r ardal fel o' ti.

Yn ôl, yn ôl,
Yn ôl, yn ôl,
Yn ôl, yn ôl,
Yn ôl, yn ôl.

Pont Llechryd

Daw'r rhan fwyaf o fy nghaneuon ataf mewn ffordd abstract. Wrth gydio mewn gitâr neu eistedd wrth y piano, byddaf yn croesi i fyd gwahanol. Mae'r byd yma wedi bodoli ers imi fod yn ddeuddeg oed, pan wnes i groesi o fyd mwy mecanyddol cerddoriaeth yr ysgriflyfr, y wers, yr ysgol, gan gamu i mewn i fyd y glust. Byd yw hwn lle mae cord yn ysgogi atgof, melodi yn deffro adlais o hen gân, ac yn eu tro, felly, geiriau yn adlewyrchu'r hyn ydw i.

A bod yn onest, dydy'r ffordd wy'n ysgrifennu ddim o reidrwydd yn ffafrio cân dda. Efallai y byddai sawl un yn cytuno! Ond i mi, mae ysgrifennu cân yn broses hynod bersonol. Ac i fod yn driw i fi fy hun, i ysgrifennu'n ddidwyll, wy'n dychwelyd bob tro i'r un ffordd o weithio.

Dyw'r gân 'Nôl' ddim yn eithriad. Eisteddais wrth y piano un bore yn fy mhyjamas. Mae'r bore bach a'r hwyrnos yn ddelfrydol os am hel meddyliau. Adegau dilychwyn, heb fod annibendod y byd yn eu llygru. Fe wnes i daro cord G yn yr ail safle a symud lawr yr allweddellau ar hyd cordiau sylfaenol y cyweirnod – G, D, C a nôl gartre i G.

Yn syth bin, roedd symlrwydd y dilyniant cordie yn mynd â fi nôl. Nôl i rywbeth elfennol. Dyma daro tant yn llythrennol ac yn ffigurol. Roeddwn i nôl yn Llechryd a bro fy mebyd. Y cordie yw tanwydd pair yr awen. Ar ôl taro'r allweddellau, roedd fy mhen yn llenwi gan ddelweddau a melodïau abstract a chyflym. Capel y Tabernacl. Afon Teifi adeg y llifogydd mawr. Dad yn canu 'Myfanwy' yn y Felin. Bois y criced ar gaeau Heneker. Fy nghefnder Anthony'n pysgota. Tres fy chwaer adeg y Nadolig. A Mam tu fas i'r ysgol. Y delwedde'n gymysg ac yn ddi-drefn. Yn amharod ac yn emosiynol.

A dyna fel mae'n digwydd. Fel rhodd oddi wrth ryw fod arallfydol wrth y pair â llwy bren, mae'r gân yn cael ei choginio fel petai rhywun arall yn llywio'r broses. Daw'r alaw wedyn, yn syml, ychydig yn hen-ffasiwn ac yn hiraethus. Bang! Mae 'nwylo'n cael eu tywys nôl i'r allweddellau ac i frawd trist G mwyaf, sef E leiaf. A dyna fydd ail ran y penillion ymhen amser. Wy'n pwyso nôl o'r piano. Fel clwydi Gwales, mae drysau byd o atgofion yn cael eu hagor.

Cefais fy nghodi yn Llechryd nes o'n i'n wyth mlwydd oed. Dyna ardal fy mhobl. Dad o Felin Garnet ar yr hewl fach sy'n troi yng nghysgod yr allt uwchben plas Castell Maelgwyn i gyfeiriad Cilgerran. A theulu Mam o Flaenffos ar y ffordd sy'n codi o lonyddwch gwaelod dyffryn Teifi tuag at greigiau glas y Preseli.

Mae rhythmau pobl yr ardal hon yn rhan annatod ohonof. Eu hiwmor, eu canu, eu cynhesrwydd. Eu ffordd o siarad bron yn iambic fel bod brawddeg yn un gair sy'n sownd wrth rythm eu calonnau: 'Welaidinydafarnosninlwcus'. (Wela'i di'n y dafarn os ni'n lwcus).

Dim saib, ond goslef sy'n canu fel bod sain y frawddeg mor bwysig â'r neges. Mae llif y Teifi'n barhaol yn y pentre. Llonydd yn yr haf drwy'r gwastatir gwyrdd tuag at Aberteifi. Ond gyda'r gallu i orlifo'n ffyrnig dros greigiau Cenarth a gorchuddio llechi gleision y bont yn gyfangwbl yng ngaeafau Llechryd. Dyma'r man cyntaf i groesi o Geredigion i Sir Benfro ar ôl gadael tref Aberteifi. Dyma leoliad brwydr rhwng Rhys ap Tewdwr a meibion Bleddyn ap Cynfyn yn 1087, a man lle drylliwyd cored yr eog yn 1844 gan derfysgwyr Beca. Wrth fyfyrio, daw straeon anorfod fy nhad i gof ac i glyw.

Cafodd Dad ei godi yn yr hen Felin ger llednant Morgenau rhwng Llechryd a Chilgerran. Mae'n fab cyflawn i Lechryd. Yn ganwr, yn chwaraewr rygbi a chriced ac yn anad dim yn storïwr a chomedïwr. Roedd Dad-cu Felin yn sosialydd ac yn ddarllenwr mawr o'r Beibl. Cafodd ei anablu'n ddyn ifanc pan syrthiodd coeden arno gan dorri ei gefn wrth blas Castell Maelgwyn. Mewn ffordd, wy'n credu fod hyn wedi atgyfnerthu ei gariad at drafod a dweud storis o'i gadair yn stafell ffrynt y Felin. Stafell oedd wastad yn gartref i gwmniwyr, rheiny'n gymdogion a chyfeillion oedd yn dwli ar y trafod. Dad-cu yn frwd yng nghanol y dadlau. A Mam-gu'n brysur, yn storom o de, cacs a chaneuon.

'Oddi wrth dy fam-gu ges di'r gallu i actio.'

Hon yw brawddeg stoc fy nhad. Roedd gwleidyddiaeth a'r Beibl yn un yn y Felin. Roeddwn erioed yn dychmygu Iesu Grist fy mhlentyndod fel sosialydd. Ac roedd hi'n gwbl wrthun imi'n hwyrach yn fy mywyd i ddod wyneb yn wyneb ag elfennau mwy ceidwadol crefydd. Wy'n dal yn brwydro â hyn. Byddai crefydd, gwleidyddiaeth, rygbi, dadlau ac yn fwy na dim canu yn un gyngerdd o ddiwrnod yn y Felin. Pobl wastad yn galw. Drws y ffrynt ar agor yn barhaol. A'r hen gi, Siân, yn hepian yn sain y Daviesiaid ym mwlch agored y drws ddydd a nos. Wrth gofio'r Felin, wy'n cofio hefyd stori o fy nyddie fel crwt yno.

Slawer dydd yn Llechryd, roedd 'na gymeriad o'r enw Ifor Bach. Cymeriad syml mewn ffordd; un a fyddai i'w weld yn crwydro llwybrau'r pentre yn gwrando ar straeon a sibrydion pawb. Roedd hyn yn ystod cyfnod pwysig iawn yn y fro pan ddaeth trydan i'r pentre. Yn ddealladwy ddigon felly, roedd bylbiau golau megis aur i'r trigolion lleol. Wel, digwyddiad mawr rhyw ddiwrnod oedd hwnnw pan gafodd toreth o fylbiau eu dwyn o'r felin goed leol. Lle diddorol i'w cadw! Tyfodd hon i fod yn stori a oedd ar dafodau pob dyn, menyw a phlentyn. Yn raddol felly, gan nad oedd syniad gan yr heddlu lleol ynglŷn â phwy oedd y dihiryn a fu'n gyfrifol am y drosedd, dim ond un dyn oedd ganddyn nhw mewn sylw i'w holi – Ifor Bach. Pan ddarganfuwyd Ifor ar gyrion y pentre, roedd yn gyndyn ei eirie a'i osgo i ddatgelu unrhyw wybodaeth. Ond ar ôl cryn holi, roedd yn rhaid iddo ddweud rhywbeth,

'Ma fi'n gweud dim byd nawr,' mynte fe, 'ma fi'n gweud dim byd... Ond wedd gole mowr yn tŷ Mitchell neithwr.'

Wrth glywed y stori yma yn fy mhen, mae fy nwylo i nôl ar y piano. Wrth gofio straeon, rhythmau'r fro, chwerthin, crïo, canu, wy'n sylweddoli gymaint yn fwy o hanes a straeon oedd gan eraill fel fy nhad am Lechryd. Yn syth daw teimlad cryf o ddilyniant a llinach i fy nghalon. Ac allan o hynny rhyw lais o rywle yn dweud,

'Does neb yn cofio'r ardal fel wyt ti'.

A dyna linell ganolog y gân 'Nôl'. Y teimlad o ddychwelyd i'r mannau coll hynny a luniwyd gan eraill. Wy wrth y piano eto, ac wrth i gord droi'n alaw a geirie, mae'r fflachiade abstract o fy nyddie fel crwt yn pefrio drwy'r presennol. Mae'r afon yng nghanol popeth. Wy'n cofio'r llifogydd mawr oedd yn taro, hynny'n digwydd falle unwaith bob blwyddyn neu ddwy. Wy'n cofio Mam yn sôn amdani, un flwyddyn, yn croesi'r bont wrth i'r llif gychwyn ymledu'n raddol dros y tarmac rhwng y muriau llechi hen. Y car a'r injan yn stopio, ac eiliadau fel golygfa o ffilm arswyd o droi'r allwedd, a'r peiriant yn achwyn wrth ballu. Y dŵr wedyn yn codi'n raddol a mwytho'r teiers rwber ar yr hewl o dan gorws straen y tanio methedig. Ac yna, eto fel mewn ffilm, mae crôm canol yr olwyn yn dechrau gwlychu, yr injan yn pesychu i fywyd a'r car yn sydyn symud ymlaen yn orfoleddus trwy'r dŵr bygythiol.

Roedd y llifogydd i mi yn arwydd o bŵer yr afon a natur. Cyferbyniad llwyr i lonyddwch yr haf pan fyddai dŵr isel yn datgelu delta bychan wrth nant Arberth. Dyna fan oedd i ni blant yn ynys fechan i chwarae ymysg y cerrig mân a'r pyllau llawn brithyllod bach. Ond roedd y gaeaf yn wahanol. Mi fyddai'r llif yn golchi'n uchel dros y gwastatir ac yn cau'r hewl rhwng Castellnewydd ac Aberteifi. Wrth i'r dŵr godi gan raddol orchuddio'r bont, mi fydden ni a theuluoedd eraill yn ymgynnull i lawr wrth dŷ Tomi'r Post i wylio'r ddrama. Mi fyddai'r digwyddiad yn ddigon weithie i dynnu'r selogion allan o dafarn y Carps, neu'r Carpenter's Arms, at yr olygfa, yn wên lydan wrth iddyn nhw ymlwybro lawr y rhiw, allan o wynt sur-felys drysau agored y dafarn. Mi fyddai pob llif yn cael ei fesur wrth uchder y dŵr yn erbyn yr arwyddion ffordd ger y bont. Wy'n cofio clywed un flwyddyn rhyw lais o ganol y criw'n dweud,

'Diawl, mae'n uchel leni bois! Mae 'ddi dros sein Cilgerran!'

Nawr, wy'n sylweddoli sut mae afon yn wythïen i bentre. Yn Llechryd, mae'n ffinio dwy sir, yn cario cwryglau'r pysgotwyr o oesau ein cyndeidiau. Mae'r bont wedi ei gwisgo gan lechi gleision ac yn fan cwrdd i hen ac ifanc wrando ar rythmau'r afon gan ryfeddu at ei phŵer a'i phrydferthwch. Wrth ystyried hyn, mae'n fy atgoffa fod afonydd yr un fath i bobl ledled y byd. Yn ei lyfr *A River Runs Through It*, wedi ei leoli yn Missoula, Montana, mae Norman Maclean yn disgrifio hyn yn berffaith: 'Eventually, all things merge into one, and a river runs through it. The river was cut by the world's great flood and runs over rocks from the basement of time. On some of the rocks are timeless raindrops. Under the rocks are the words, and some of the words are theirs. I am haunted by waters.'

Mae'r geiriau hyn yn fy atgoffa o'r amser pan o'n i'n chwarae rhan Bryn yn nhrydedd stori Alexander Cordell yn y drioleg *Rape of the Fair Country*, addasiad Manon Eames o *Song of The Earth* wedi ei chyfarwyddo gan Tim Baker yng nghynhyrchiad Clwyd Theatr Cymru. Yn yr araith olaf, mae Bryn yn dweud:

'For the earth speaks, said my mam. The stones talk to the clay, the loam and pebbles give their opinion. For what is the earth, she said, but the tongues of men gone to dust.'

Wrth glywed y geirie hyn eto yn fy mhen, mae'n fy atgoffa o

un o'm hoff gerddi, 'Hon' gan T.H. Parry-Williams. Wy'n hoffi'r gerdd gan nad wyf yn ymwybodol o waith arall sy'n faromedr o fy hwyl ar unrhyw adeg. Fel Cymro, wy 'di brwydro gyda chymhlethdodau ein bodolaeth, ein hiaith a'n diwylliant drwy fy mywyd. Wy'n wladgarol ac eto mae elfennau o genedlaetholdeb yn wrthun i mi. Wy'n hoffi bod yn ddinesydd Cymraeg a Chymreig. Ond hefyd yn ddinesydd o'r byd mawr a'i liwie gwahanol. Wy'n aml yn croesi pontydd, yn gadael, yn hiraethu a dychwelyd. Byd o ddeuoliaethau yw fy myd i, a dyna pam mae 'Hon' yn apelio. Mae ei ffurf, i gychwyn, yn bwysig. Soned sydd fel stori fer lafar y gallwn ddychmygu ei chlywed ar bont Llechryd rhwng dau gyfaill. Y rhan gynta yn difrïo'r syniad o fod yn Gymro. Y caethiwed o fod yn rhan o gymuned fach sy'n aml yn fewnblyg fel pwll troellog sy'n methu ymuno â llif yr afon i aber yr addewid.

Wedyn ar y bont, wy'n clywed llais Mam yn galw fod swper yn barod. A dyna'r volta, y newid mewn meddwl ac ysbryd fel yng ngherdd T.H. Mae llais Mam, ei goslef, ei geirie, ei ffordd o weiddi yn bopeth. A dyna ni. Dyna Gymreictod i mi. Nid rhyw broffesiad ein bod ni'n well nag unrhyw genedl arall. Nid ein bod yn fwy celfyddydol, barddonol, cerddorol na neb arall. Nid ein bod yn siarad iaith y Nefoedd. Mi fydde hynny'n annheg yng nghyd-destun y byd. Ond oherwydd ein bod. Ein bodolaeth. Oherwydd bod Mam yn gweiddi fod swper yn barod – yn Gymraeg. Mae bodolaeth Cymraeg gartre yn un â'r hawl i fyw. Duw a'm gwaredo, ni allaf ddianc rhag Llechryd!

Wy nôl wrth y piano. Daw'r cof o fy nghefnder Anthony yn cerdded lan y rhiw at dŷ'r capel, Y Garth, lle ro'n ni'n byw. Diwrnod cynnes tanbaid ym mis Awst. Rwy'n gwisgo crys T gyda llun o Chewbacca o Star Wars mewn paent rwber ar y blaen. Dyma fy hoff grys T. Nid oherwydd Chewbacca – er bod y creadur hwnnw yn dipyn o foi – ond am fod rwber trwchus y darlun bron fel tri dimensiwn ar y blaen. Mae'r paent rwber yn boeth i'w gyffwrdd, a'r coed yn llonydd yn erbyn glas dwys yr awyr.

Daw Anthony i'r golwg, fy hoff gefnder ei hun. Cefnder oedd

yn medru fy achub o grafangau bwli, y math yna o gefnder! Mae e newydd ddod lan o'r bont ar ôl bod yn pysgota ac wedi dal Hyrddyn Arian. Wy'n cofio gweld y pysgod hyn yn heidio'n dywyll o dan y bont ar ôl croesi'r aber. Yn Llandoch heibio i Aberteifi. Ym Mhwll Du o dan Gastell Cilgerran cyn cyrraedd y llechi glas, a'u tynged o dan wiail bois Llechryd. Wrth iddynt glirio'r bont fe fyddai cefnau'r pysgod yn cynnau'n fflamau arian yn yr haul dan sŵn cyffro'r bois cefnfrown noeth yn ceisio'u dal gyda'r Mepp 3 Spinner. Hyn oll mewn corws o weiddi, sgrechen, rhegi, siom a gorfoledd. Roedd Anthony yn un o'r rhai gorfoleddus. Fe'i gwelaf yn sefyll ynghanol yr hewl, yn arwr i mi. Ei grys T gwyn yn dal y ddau bwys gwaedlyd, ei wên mor wyn â fy nghrys i. A Chewbacca'n dyst i'r cyfan.

Mae cord yn newid ar y piano, ac yn syth rwy yn y capel, bore Llun ar ôl cwrdde'r Sul. Wy yno gyda Mam, sy'n edrych ar ôl y lle, a Tres, fy chwaer. Mae Mam yn clirio'r lle tra bo Tres a finne wedi darganfod darnau sych-sgwâr gweddillion bara'r Cymun a charáff y gwin sanctaidd. Heb ddeall sancteiddrwydd y symbolau o'n blaenau, dyma ni'n mentro'n ddi-gosb i flasu'r danteithion o'n blaenau tra bod Mam yn gwbl ddiarwybod yn y Sêt Fowr. Wrth y piano, wy'n teimlo oerni llaith y Tabernacl ar ôl gwres tanbaid Chewbacca ar fy mrest, a wy'n teimlo'r hiraeth mwya dirdynnol. Hiraeth am y capel sydd nawr wedi cau. Hiraeth am Anthony, sydd nawr yn ddyn. Hiraeth am y rheiny sydd nawr wedi'n gadael. Hiraeth am Lechryd. Achos 'does neb yn cofio'r ardal fel wyt ti'.

Wy'n cau caead y piano. Mae'r lliwie rhedegog oedd fel trobwll gynnau, yn awr yn dechrau ffurfio'n llun Polaroid o'r saithdegau. Dyna'r gân. Mewn pyjamas hyd amser cinio yn toncian a darganfod. Taith o un cord i'r llall fel jig-so i ddarlunio'r dyddie hynny yn Llechryd. Darne jig-so sydd heb ochrau caled ond gydag ymylon toddedig o liw a melodi.

Ma'r gân yn y bocs nawr am byth.

2.

Y Bachgen yn y Dyn

Es i draw i bendraw'r byd, ar hyd clogwyn hir odd yn serth fel enaid dyn,
Ac ar hyd y clogwyn rodd 'na goeden lle rodd deryn yn sefyll ar ei ben ei hun,
Rodd ei frest 'di llosgi'n goch, 'di llosgi'n goch fel fflamau'r byd,
Ond mewn alaw dyner, fe drodd yn daer a gofyn wrtha i

I chwilio am y bachgen
Y bachgen yn y dyn
Chwilio am y bachgen
Y bachgen yn y dyn
Yn y dyn, yn y dyn,
Yn y dyn.

Dechreuodd sôn am ei hedfan hir drwy nos y byd i gyrraedd pen ei daith,
Dros anialdir, gwyrdd-dir, sanctaidd dir, cas a chariad-diroedd maith,
Edrychodd i fyw fy mywyd a'i lygad doeth yn herio f'enaid blin
Ac er i mi geisio'i anwybyddu, fe glywais ei gwestiwn crin

Yn gofyn imi chwilio am y bachgen,
Y bachgen yn y dyn
Chwilio am y bachgen
Y bachgen yn y dyn
Yn y dyn, yn y dyn,
Yn y dyn.

Eisteddais ar y gangen gan edrych ar ei aden oedd yn gorffwys arna' i,
A sylwes fod 'na nodwydd yn hollti ei bluen, neu falle hoelen ond ma
hynny fyny i chi,
Ond wrth edrych eto, nid oedd deryn, na choeden, na hyd yn oed
ddiwedd byd,
Ond sŵn rhyw alaw dyner ym mêr fy esgyrn yn gofyn wrtha' i

I chwilio am y bachgen

Y bachgen yn y dyn
Chwilio am y bachgen
Y bachgen yn y dyn
Yn y dyn, yn y dyn,
Yn y dyn.

Tres, fi a mam

Tua 2007, penderfynais ysgrifennu cân ar gyfer y Nadolig. Dw'i ddim fel arfer yn cychwyn cân gyda thema neu bwrpas. Ond wy'n credu o bosib, tua'r cyfnod hwn, i fi dderbyn cais gan Radio Cymru i ysgrifennu a recordio sesiwn. Yr hyn ddaeth mas oedd 'Y Bachgen yn y Dyn'. O ganlyniad, 'dyw hi ddim yn gân Nadoligaidd o reidrwydd ond yn gweddu i'r cyfnod hwnnw serch hynny.

O edrych nôl, roedd hwn yn gyfnod cyn y cwymp economaidd mawr, a thrachwant salw neo-liberal ar fin newid y byd. Cyfnod genedigaeth yr iPhone a wnaeth hefyd newid y byd. A chyfnod cyhoeddi albwm olaf Johnny Cash – *American 4* – a wnaeth mewn ffordd fach newid fy myd i. Doeddwn i erioed wedi clywed albwm na chanwr a wnaeth arllwys cymaint o emosiwn a gonestrwydd i mewn i ddarn o waith. Roedd y gân 'Hurt' – cân y Nine Inch Nails – yn ymgorffori hyn. Caed gonestrwydd Cash am ei ffaeleddau personol ynghlwm â'r cariad yn ei lais yn swnio'n anhygoel o bwerus. Disgrifiai fywyd fel brwydr rhwng elfennau cythreulig fel cyffuriau ac alcohol a'r cariad oedd ganddo at June Carter a'i deulu, ynghyd â'i daith barhaol tuag at ffydd.

Pan eisteddais lawr wrth y piano, roedd American 4 a'r gân 'Hurt' yn fy mhen heb os. Ond nid hynny wnaeth gynnau'r gân. Am ryw reswm na alla'i mewn unrhyw ffordd ei esbonio, roedd canu pwnc yn atseinio yn fy mhen. Doedd gen i ddim profiad o ganu pwnc heblaw am glywed Mam yn sôn amdano, a rhyw frith gof o glywed y llafarganu ar ryw raglen ddogfen. Roedd canu pwnc yn draddodiad o ganu adnodau'r Beibl fel siant yng ngorllewin Cymru. Am ryw reswm, roedd y teimlad o siant yn gryf yn fy esgyrn pan eisteddais wrth y piano. A dyma fi'n cychwyn chwarae cordie C i lawr i Am drosodd a throsodd. Fel arfer, dydy'r melodi ddim yn cyrraedd ar y pwynt yma. Ond roedd hi lan yn gynnar y bore hwn! Dyma fi'n canu'r node C ac A law yn llaw â'r cordie. A dyna ble o'n i yn y stafell gefn yn y Barri yn siantio fel dyn gwyllt o'r coed! O'n i'n methu osgoi na dianc o'r elfennau hyn. Ac yn y diwedd dyma fi'n ildio i'r gogwydd greddfol. Wrth edrych nôl, mae'n bosib fod y newidiadau mawr byd-eang wedi cynnau rhyw ddyhead ynof i gysylltu â rhyw elfen gyntefig, baganaidd efallai. Ond wnes i ddim cyrraedd rhyw gasgliad rhwysgfawr felly ar y pryd!

Wrth edrych nôl, wy'n credu efallai ei fod e'n gyfnod o ansicrwydd personol. Mae hynny'n wir am fy ffydd. Cefais fy nghodi yn Gristion diwylliannol. Doedden ni ddim yn gapelwyr mawr fel teulu. Ond roedd negeseuon Cristnogol moesol ynghlwm â'r frwydr dros degwch i bobl yn rhywbeth annatod inni. Wrth dyfu fyny, roeddwn i'n cwestiynu'r cawlach o gwestiynau oedd yn sownd wrth Gristnogaeth, gwleidyddiaeth a bodolaeth Duw. Mae'r cawl hwnnw'n dal i ferwi! Dw'i ddim yn credu mewn duw ymyraethol. Ac eto dw'i ddim yn anffyddiwr. Wy'n credu fod y rhan fwyaf o grefydd gyfundrefnol â gwreiddiau mewn rheolaeth o bobl dlawd ac anwybodus. Ac eto wy'n ymwybodol o gysur didwyll ffydd mewn pobl llawer clyfrach na fi. Wy'n credu'n gryf ym mhŵer goleuedig gwyddoniaeth i ddarganfod atebion, mewn meddyginiaeth a datblygiad dynoliaeth. Ac eto, wy'n rhyfeddu yn ein hymgais fel pobl i greu'r 'arall' mewn celfyddyd – dawnsio, canu, actio. Weithie mi fydda i'n credu'n synhwyrol nad yw crefydd yn ddim ond estyniad o ofergoelion cyntefig. Ar y llaw arall, mae'n ffaith nad yw gwareiddiad ond wedi bodoli am chwe mil o flynyddoedd tra bod y byd yn bedwar biliwn a hanner mlwydd oed ac o bosib yn rhy ifanc i ni wybod yr atebion. Dyna beth o'n i'n feddwl wrth gawlach!

I atgyfnerthu'r deuoliaethau hyn, wy'n cofio rhywbeth wnaeth ddigwydd rhyw flwyddyn cyn ysgrifennu 'Y Bachgen yn y Dyn'. Adeg y Nadolig, derbyniodd fy merched, Lowri a Cifa, anrheg oddi wrth ffrind mynwesol fy ngwraig Roisin, Libby Shanaghan. Casgliad o straeon byrion gan Oscar Wilde ar gryno ddisg oedd y rhodd. Mae'r stori gyntaf ar y CD, 'The Selfish Giant', yn cael ei hadrodd gan yr actor David Kelly gyda chyfeiliant ysbeidiol ond llesmeiriol gerddorfaol. Hyd heddiw, mae'n parhau i fod yn un o'r pethau prydferthaf wnes i erioed ei glywed.

Mae'n dilyn hanes plant ifanc sy'n mynd ati i chwarae yng ngardd hyfryd y cawr mawr crintachlyd. Mae yntau'n dychwelyd ar ôl saith mlynedd wedi iddo ymweld â'i ffrind, y cawr Cernywaidd. O weld y plant, mae'n eu herlid yn grac o'r ardd ac yn gwrthod iddynt chwarae yno byth mwy. Yn absenoldeb y plant, mae'r ardd hardd yn rhewi'n gorn o dan aeaf parhaol. Ond nid yw'r cawr yn ildio. Mae'n rhy hunanol. Ar ôl blynyddoedd o galedi gaeafol, un diwrnod mae'n clywed sain prydferth Aderyn y Llin. Mae'n cerdded i'r ffenest ac mae'n rhyfeddu o weld fod y plant wedi dychwelyd drwy dwll yn y wal, wedi dringo'r coed a thrwy hynny, hebrwng blodau'r gwanwyn gyda hwy.

Serch hynny, roedd un goeden yn dal yn gaeth i'r rhew a'r eira. A sylwodd y cawr fod 'na un bachgen bach nad oedd yn medru ei dringo. Yn syth, meiriolodd calon y cawr ac aeth ati i dywys y bachgen â'i law yn ysgafn fyny i'r brigau uwchben. Wrth wneud hynny, blodeuodd y goeden ynghyd â chalon y cawr nes iddo ddatgan yn orfoleddus fod yr ardd o hynny ymlaen yn berchen i'r plant i gyd. Am flynyddoedd wedyn, bu'r plant yn chwarae yn yr ardd yn ystod y tymhorau arferol. Ond ni welodd y cawr y bachgen yr helpodd i ddringo ers y diwrnod cyntaf hwnnw. Doedd yr un o'r plant eraill wedi ei adnabod na'i weld chwaith.

Aeth blynyddoedd heibio, a'r cawr, er yn hen ac yn fusgrell, yn llawenhau wrth weld y plant yn chwarae. Serch hynny, roedd yn gresynu yn absenoldeb y bachgen ifanc arbennig hwnnw. Un bore o aeaf, fe welodd o'i ffenest fod un goeden wedi blodeuo ynghanol oerni'r gaeaf. A sylwodd hefyd fod y bachgen bach wedi dychwelyd. Aeth y cawr allan i'r ardd yn syth a'i gyfarch. Ond cafodd ei siomi'n ddirfawr wrth weld fod yna glwyfau a gwaed ar ddwylo bach y crwt, a chlwyfau hefyd ar ei draed. A'r rheiny mewn siâp hoelion. Cynhyrfodd y cawr a bygwth niweidio'r rheiny oedd wedi cyflawni'r fath erchylltra. Ond gwrthododd y bachgen gynnig y cawr gan ddweud mai clwyfau cariad oeddynt. Pan ofynnodd y cawr iddo pwy ydoedd, atebodd y bachgen fod y cawr wedi caniatáu iddo chwarae yn ei ardd flynyddoedd yn ôl. A heddiw ei fod yntau'n mynd i ganiatáu i'r cawr fynd i'w ardd ef, sef paradwys. Dydy'r crynodeb yma ddim yn gwneud cyfiawnder â gwychder geiriau Wilde. Ond pan glywais y stori am y tro cynta, roedd y dagrau'n morio lawr fy ngruddie!

Dw'i ddim yn ddiwinydd, a dw'i chwaith ddim yn argyhoeddedig o rai o'r negeseuon Beiblaidd lle mae trais, cosb a chariad yn gymysg. Serch hynny, dw'i ddim erioed wedi clywed stori ar lafar a wnaeth gymaint o argraff arna'i, na chymaint o negeseuon syml am gariad a maddeuant wedi eu saernïo gan un o feistri mwya unrhyw iaith. Un a oedd ei hunan yn wynebu erledigaethau'r oes lem Fictorianaidd. Byddwn yn chwarae'r stori yma yn aml i'r merched ar ein peiriant cryno ddisg pan oedden ni'n byw yn Awelfor yn y Barri. Gorlifodd fy mrwdfrydedd serch hynny i nosweithiau pan fyddwn yn gwahodd ffrindie i swper. Roeddwn wedi fy ngwefreiddio gymaint gan y stori fel fy mod i (ar ôl ambell i lasied) yn chwarae'r stori yn frwdfrydig i fy ffrindie. Tyfodd hyn i fod yn arfer parhaol wedyn nes yn y diwedd, un noson, roedd Roisin wedi cael digon. A dyma hi'n taflu'r CD i'r ardd! Fe gafodd ei ddychwelyd gan fy ffrind arbennig, Steffan Wiliam.

Yn ôl wrth y piano, wy'n gweld erbyn heddiw fod Johnny Cash, Oscar Wilde a'r cantorion canu pwnc wedi bod yn gwmni yn yr ystafell gyda fi wrth gychwyn ar fy nhaith i ysgrifennu 'Y Bachgen yn y Dyn'. Serch hynny, erbyn heddiw, wy'n gallu ychwanegu cymaint o ddylanwadau ar hyd fy mywyd oedd hefyd yn y pair.

Roedd tŷ Mam-gu a Dad-cu'r Felin yn fwrlwm o drafod. Roedd Dad-cu yn storïwr wrth reddf, a chanddo'r ddawn o greu straeon i mi a fy chwaer, Tres, oedd yn llawn negeseuon moesol, bron fel alegorïau personol. Mi fyddai'n gofyn beth oeddwn yn darllen ar y pryd, neu pa gartwnau fyddwn yn eu gwylio. Ac mi fyddai'n llunio straeon newydd yn cynnwys cymeriadau'r cartŵn neu'r llyfr, ond nawr gyda fi a fy chwaer yn gymeriadau yn y stori hefyd.

Ar y pryd, roeddwn yn dwli ar straeon Mary Tourtel, Rupert Bear. Roedd Dad-cu yn gwybod hyn. Mi fyddai'n dweud straeon amdano ef a'r cymeriadau cyfarwydd eraill wrthym. Straeon am orchwylion anturus ond wedi eu llunio gyda naratif oedd yn llawn troeon trwstan, heriau bywyd a sefyllfaoedd anodd. A'r diweddglo'n anorfod yn golygu ein bod yn dysgu gwers am helpu eraill efallai, neu fod yn blant da. Roedd y personoli hyn yn golygu ein bod reit yng nghnewyllyn y stori a'r neges. Dim ond nawr wy'n gallu gwerthfawrogi sut effaith gafodd hyn arnom. Dyma'r peth symlaf yn y byd i ni. Stori. Ond stori gyda'r empathi cryfaf posib. Dyma'r hyn wy'n credu sydd tu ôl i'r teitl 'Y Bachgen yn y Dyn'.

Yn fy arddegau, roedd yr adleisiau o hyn yn cael eu hadlewyrchu yn fy magwraeth. Roedd ardal Ffostrasol yn frith o gymeriadau fyddai'n galw yn y tŷ, neu'n bresennol yn yr ysgol, yr Aelwyd neu'r neuadd bentref. Mae Emyr Llew a'i wraig Eiris yn ffrindiau agos i Mam a Dad. Wy'n cofio nosweithiau o drafod gwleidyddiaeth, cymeriadau, straeon, Cymreictod. Daw'r nosweithi hyn yn ôl ataf fel fflachiade ymysg disheidi o de a chwerthin, sŵn brawddege fel 'Gwed y stori am...hwn, hon a'r llall' neu 'Ti'n cofio'r nosweth pan...?' Wy'n clywed adleisiau o straeon a hanner straeon. Sôn am gymeriadau fel Niclas y Glais, ei gyfeillgarwch gyda Keir Hardy, ei Gristnogaeth Sosialaidd oedd ynghlwm â'i ffordd o fyw yng ngogledd Sir Benfro, am fyw negeseuon elfennol yr Efengyl. Roedd Elfed Lewys yn gymeriad arall: pregethwr anghonfensiynol yn nhermau pryd a gwedd a chanwr gwerin enwog. Roedd e hefyd yn drafodwr brwd ac mi fyddai ei sgyrsiau gyda Dad yn troi'n angerddol o gwmpas yr un themâu a chymeriadau.

Dyma'r daith at 'Y Bachgen yn y Dyn'. Taith o gofio straeon; o fod yn y stori. Taith sy'n frithlen o rywbeth sydd ynghlwm â bywyd plentyn yng ngorllewin Cymru. Cymdogaeth oedd yn helpu ei gilydd ac yn rhannu straeon. Mae'r daith i grwt bron fel gwrando ar y radio; rhywbeth sy'n gysur ac yn gyfarwydd, yn arweiniol ac yn gefnogol. Dyw'r adleisiau ddim yn bregethwrol nac yn ddogmatig ond yn llais sy'n cynnig ac yn gadael lle rhwng y brawddegau i fyfyrio. O straeon fy nhad-cu i lafargan bywyd Ffostrasol, dyma sy'n llunio'r angen i chwilio am y bachgen yn y dyn.

Mae'n gân sy'n dilyn dyn ifanc ar hyd clogwyn serth, un sy'n chwilio am ryw atebion yn ei fywyd. Mae'n glogwyn sy'n ymestyn ar draws y byd ar hyd tiroedd o heddwch, rhyfel, cyfiawnder ac anghyfiawnder. Does dim atebion ar hyd y ffordd. Ond mewn amser, daw'r gŵr ar draws coeden unig. Ar y goeden mae yna aderyn, Robin Goch, sy'n cychwyn siarad ag ef. Ei brif neges yw fod rhaid i'r gŵr ffeindio'r bachgen ynddo'i hun. Ffeindio'r neges symlaf sy'n atgyfnerthu'r pethau pwysig yn ei fywyd. Y pethe sy'n goleuo tywyllwch y byd. Wrth glywed ei neges, mae'r dyn yn sylwi ar aden y Robin Goch. Sylwa fod nodwydd yn hollti ei bluen, neu falle hoelen. Ond ma hynny fyny i chi. Efallai fod y nodwydd yn nodwydd cyffur heroin. Neu falle yn hoelen fel yn stori'r Iesu. Efallai fod caledi, tlodi neu ryfel yn creu aberthion a merthyron yn ein bywydau bob dydd o'n cwmpas. Yn y pen draw, mae'r siant o chwilio am y bachgen yn aros. Rhaid inni chwilio am y goleuni, beth bynnag mae hynny'n ei olygu i unrhyw un yn ein bywydau.

Mae'r Robin Goch yn dderyn cyfarwydd i mi. Roedd Mam byth a hefyd yn bwydo'r adar yn y gaeaf. Ac mi fyddwn wastad yn rhyfeddu at hyder y deryn unigryw ymhlith yr adar ofnus eraill. Ro'n i wastad yn meddwl fod 'na ddoethineb iddo, fel petai'n edrych arnom yn wahanol. Fel petai yn ein herio, yn ein cwestiynu.

Tan nawr, doeddwn i ddim wedi sylwi sut roedd cân Johnny Cash, stori blant Oscar Wilde, rhythmau undonog canu pwnc, straeon Tad-cu a sgyrsiau'r aelwyd yn Ffostrasol wedi dylanwadu cymaint arnaf yn ystod y cyfnod o ysgrifennu 'Y Bachgen yn y Dyn'. Hyn oll oedd yn troi ym mhair y gân yn y pen draw.

Ar ôl y broses o ysgrifennu'r gân, wy'n teimlo heddiw fod yna gyffordd ym marn crefyddwyr, dyneiddwyr a phobl ysbrydol yn gyffredinol. Tueddiad anffodus ein byd naturiol wleidyddol yw bod pwyslais ar ennill y ddadl. Mae dynoliaeth yn fy marn i'n llawer rhy ifanc i fod yn y sefyllfa o fod mor absoliwt. O ran canlyniad personol, rwy'n ymddiddori yn y cyffordd. Y lle mewn gwirionedd ble mae'r dadleuon yn cwrdd. I mi, mae'r bydysawd yn gyfuniad o'r da a'r drwg. Does dim modd mesur yr elfennau hyn efallai, heblaw am ryfeddu at y rheiny sy'n gwneud daioni yn erbyn bygythiad yr erchyllterau gwaetha yn ein byd. Mae'r gwahaniaeth rhwng 'Good' a 'God' yn un llythyren. Ar adegau, mi fydda i'n hyderus deimlo fod gwyddoniaeth yn ddigonol i mi fod yn oedolyn sy'n rhesymegol dderbyn y sefyllfa fel y mae. Ar brydiau eraill, teimlaf bod angen mwy arnaf. Pwy a ŵyr? Yr hyn sydd efallai'n bwysig i mi yw parhau i chwilio am y bachgen yn y dyn.

3.
Rhannu Cof

Tu ôl y galar ma ’na wên,
Gall troad daear fyth droi’n hen,
Mewn calon dawel ma fe’n glir
Fod dechre cofio’n ddechre hir.

Ma’r llwybre’n mynd, ma’r llwybre’n dod,
Rhaid falle dderbyn fel mae fod.
Ond ma’r marwor yn dal yn sownd i’r tân
A’r chwerthin dal yn sownd i’r gân

Cyt.
A lle rodd dydd
Yn cwrdd â’r nos,
Rodd rhannu byd;
Ni ddaeth hiraeth.

Wy’n gweld ti’n chwerthin arna’i nawr,
Rwy’n clywed sŵn y chwerthin mawr,
Daw awel draw a’m cyffwrdd i
A mynd i’r lle ble roeddwn i,

Cyt.
A lle rodd dydd
Yn cwrdd â’r nos,
Rodd rhannu byd,
Ni ddaeth hiraeth.

Yn llonyddwch harbwr Dungarvan

Caiff ambell i gân ei hegino o wreiddyn caled. Gwreiddyn o dristwch efallai. Gwreiddyn sy'n torri drwy'r tir mwyn gyda'i ddyfodiad digroeso; ac eto'n amhosib ei anwybyddu. Gwreiddiau felly sydd i 'Rhannu Cof'. I gychwyn, dim ond un gwreiddyn oedd iddi. Ond yn anffodus tyfodd gwreiddiau gwydn eraill oedd yn amhosib eu hanwybyddu. Erbyn hyn, wy'n gwbl ymwybodol y bydd gwreiddiau tebyg eraill yn fy mywyd. Gobeithio y bydd rhannu cof yn esgor ar flodeuyn llachar a wnaiff oleuo'r gwreiddiau hyn.

Yng ngwanwyn hwyr 2004, wy'n cofio eistedd â'r gitâr yn fy llaw, y Takimine G Series, a dechrau chwarae'r cordie A, Bm, F#m, E. A hynny drosodd a throsodd. Pedwar cord. Hanner yn y mwyaf; hanner yn y lleiaf. Fel pedwar tymor: Gwanwyn, Haf,

Hydref a Gaeaf. Y pedwar tymor yn barhaol, hollbresennol gan gynrychioli treigl bywyd, fel bod brwydr barhaol ar droed. Y goleuni a'r tywyllwch; y gwres a'r oerni; y dyfodiad, y geni; yr ymadawiad, y marw. Mor gyferbyniol ac eto mor agos i'w gilydd fel bod y drych yn plygu a phopeth yn cwrdd. Yr anfeidrol. Daeth y cordie'n naturiol yn yr isymwybod. Ond roeddwn yn gwbl ymwybodol o'r tân oedd yn eu cynnau. Roeddwn i wedi colli Dylan.

Roedd Dylan Eurig Jones o Ddolgran, Pencader yn ffrind mynwesol. Llecyn hyfryd yw Dolgran, yn cuddio yn y coed o dan hewl undonog hir y pentre fel cyfrinach gyfrwys ar goll i'r rheiny sydd ar hast ar eu ffordd i Gaerfyrddin. Ie, cyfrwys, hudolus, cellweirus a hyfryd. Cartref Dylan.

Cwrddais â Dylan ym mlwyddyn gyntaf Ysgol Uwchradd Dyffryn Teifi. Ef o un ochr i'r Teifi a finne o'r llall. Roedd yn fan cwrdd i lawer o ffrindie yn y cyfnod hwnnw. Gethin Vobe, y maswr mwya naturiol dalentog a welais erioed. Carwyn Lloyd Jones, y 'whizz' mwya ar gyfrifiadur. Daniel Thomas, cricedwr a chwaraewr tennis gwych ac yn fab i'r haf. Timothy Jenkins, clampyn tal oedd wedi datblygu'n gorfforol, ac mewn doethineb, o'n blaen ni. A Dylan Eurig, deryn talentog oedd yn ymddiddori mewn cynghanedd a sbort. Ac fe gaethon ni sbort. Drwy'r ffrindie ysgol hyn, ehangodd ein gorwelion wrth fod yn rhan o glybiau rygbi, cwmnïoedd drama, eisteddfodau ac yn y blaen. Mewn amser, cwrddais â phobl fel Prys Davies, pysgotwr a mathemategydd o Lanfihangel ar Arth; Ioan Jones wedyn, newydd-ddyfodiad tal a direidus o Benybont; Meilyr Siôn, un o'r bois doniola o Giliau Aeron; a Dylan.

Roedd Dylan yn fachgen naturiol dalentog. Ond doedd e byth yn teimlo y dylai ddangos hynny. Roeddwn i, hwyrach, yn awyddus i fod ynghanol popeth. Ond roedd gan Dylan ryw hunanhyder o nabod ei hun a dilyn ei reddf. Roedden ni'n dau yn rhan o gynyrchiadau drama Eleri Evans ac Elin Jones yn yr ysgol, ac yn aelodau o gorau Islwyn ac ati. Ond roedd talentau Dylan weithiau'n gudd. Daeth hyn i'r amlwg yn y chweched dosbarth. Roedden ni'n dau yn astudio Cymraeg. Ond y tu allan i furiau'r ysgol, roedd Dylan ar drywydd gwahanol, annibynnol. Un prynhawn yn Nolgran, dyma fe'n darllen barddoniaeth i mi. Englynion gan fwyaf. Rhai yn ddwys, rhai yn ddoniol, rhai yn goch! Ond un ac oll yn swnio'n hyfryd, fel petaen nhw wedi tyfu o'r coed a'r nant yn y cwm. Fe eisteddon ni yn y tŷ trwy'r prynhawn yn chwerthin, yn gwrando, yn rhyfeddu. Soniodd wrtha'i ei fod wedi bod yn darllen llyfrau ar gynghanedd ac yn ei addysgu ei hun. A dyma fe'n cyfeirio at yr enghreifftiau yn ei englynion, cynganeddion oedd yn groes, draws, llusg a sain. Ac wrth eistedd yno, ro'n i'n ymwybodol o'r annibyniaeth barn oedd o fy mlaen. Nid gwers Gymraeg oedd hon ond cariad at rywbeth. Cariad at sŵn cytseiniaid yn clecian a llafariaid yn llifo gan ddwysáu'r neges, rhoi bywyd i'w hiwmor, a chyfoethogi'r deryn oedd ynddo. Wy'n gresynu hyd heddiw na chedwais gopïau o'r cerddi hyn. Ond mae'r fflachiadau o atgofion a geirie'r diwrnod hwn yn Nolgran yn parhau gyda mi.

Weithie, mae'r syniad o gynghanedd yn ymddangos fel rhywbeth cyfyngedig, caeedig i mi. Ond mae dau ddigwyddiad wedi herio'r teimlad hwnnw. Pan glywais Dic Jones yn adrodd cerdd 'Cynhaeaf' ar lafar, roedd e fel petai'r farddoniaeth yn gynnyrch tyfiant ym mhriddoedd Blaenporth. Yn yr un ystyr, roedd taith Dylan o greu ei gynghanedd ei hun, yn annibynnol ac yn ei ffordd ei hun, wedi fy argyhoeddi fod hwn yn rhywbeth oedd yn perthyn. Yn perthyn, am wn i, i'r rhythmau iambic a glywswn gynt ar lwybrau Llechryd. Yn perthyn i'r galon.

Roedd y cariad at yr elfennau creadigol naturiol hyn wedi tyfu ar faes Gŵyl y Cnapan hefyd. Gwersylla yn sain y miwsig diddiwedd. Cwrdd â merched. Yfed cwrw. Dawnsio o amgylch y tân nes toriad gwawr. Dyddie Dedwydd Dylan. O feysydd y Cnapan, daeth awydd i ehangu. Penderfynwyd yn ddwy ar bymtheg oed fentro ar daith i'r Fleadh Cheoil yn Iwerddon. Roedd yr ŵyl fwyaf yn Iwerddon y flwyddyn honno'n cael ei chynnal yn Sligo, ardal W.B. Yeats. Delfrydol.

Fel cychwyn ffilm *The Magnificent Seven* dyma Dylan a fi'n

casglu criw at ei gilydd. Dyma'r rhai gafodd berswâd ar eu rhieni i'w gadael i fynd i'r ŵyl hynod 'ddiwylliannol' hon: Ioan Evans, actor o Aberystwyth ro'n wedi ei gwrdd mewn gigs yng Ngwesty'r Plu, Aberaeron, Bart Richardson, bachan o Fwlchygroes oedd yn dda gyda'i ddwylo, a Philip Tomos Arosfa oedd yn meddu ar yr hiwmor sychaf yn y gorllewin. Cymeriadau a allai swyno unrhyw un. Efallai ddim y Saith Godidog, fel yn y ffilm, ond yn ddigonol i fod yn 'Famous Five' ar ôl dychwelyd.

Bant â ni felly, ac ar ôl croesi o Gaergybi, fe dreulion ni'r noson gyntaf yn Nulyn. Taflu'n bagie i'r llety a mynd yn syth i dafarn enwog O'Donoghues. Roedd y lle'n orlawn ac arwydd mawr y tu allan yn cyhoeddi: 'Over 21's Only'. Wrth geisio llithro trwy'r drws ffrynt, dyma ŵr tal, y perchennog, yn ein stopio. Ac wrth weld y pump ohonom – a dim un ohonom yn siafio – dyma fe'n dweud:

'Sorry lads, you have to be twenty-one to get in here.'

A dyma ble daeth Ioan yr actor yn gymorth amhrisiadwy. 'You must understand we've come all the way from Wales. And furthermore we have been told by everyone, "You MUST go to O'Donoghues. It's the greatest pub in Ireland".'

Roedd e fel petai wedi ymarfer yr araith glodfawr. Ac ar ôl saib fer, dyma'r perchennog yn ateb.

'Come with me lads.' A dyma fe'n ein tywys ni'n syth trwy'r dafarn orlawn i'r bar cyn gosod pum peint ffres o Guinness o'n blaenau. 'Fáilte lads', mynte fe.

A dyma ni'n wên o glust i glust fel pum hwrdd blwydd yn llowcio'r llaeth du o dan lunie o'r Clancys, y Fureys a'r Dubliners.

Yn ôl wrth y gitâr a'r pedwar cord cynta, roedd atgofion Dulyn fel agor albwm o lunie. Roedd mwynhad ifanc y pump ohonom o fewn cyrraedd. Y sŵn. Yr arogl. Ein calonnau'n pwmpio fel calonnau ceffyle. Y posibiliadau. Yng ngwychder lliwgar, tanbaid y cof, roedd gen i wên enfawr ar draws fy wyneb. Ond wrth eistedd â'm llaw ar y tannau, roeddwn i'n ymwybodol hefyd nawr fod rhywbeth ar goll. Roedd Dylan wedi'n gadael. Bu farw'n ddeg ar hugain oed ar ôl damwain car ar y ffordd i Gaerfyrddin. Cafodd gyfnod o wellhad sylweddol cyn marw yn ei gwsg yn ei gartre yn Nolgran. Roedd yn sioc i ni i gyd. Ond alla'i ond dychmygu'r boen a ddaeth i ran ei rieni Glyn a Feio a'i chwaer, Nia.

Ond roedd yr atgofion hynny o dros ddegawd yn ôl mor fyw. Mor real. Wrth eistedd yno gyda fy ngitâr ar fy nghôl, roedd y wên yn dal ar fy wyneb ond wedi ei atalnodi gan losgiadau o siom yn fy mrest. Roedd yr atgofion mor fyw fel iddynt deimlo fel rhoddion. Gymaint oedd y llawenydd wrth gofio, fel i fi ddod i gasgliad yn y man a'r lle. Gwyddwn, os fedrwn i fyw i'r eithaf yn llawn gan wasgu pob chwerthiniad, pob cân, pob gronyn o gariad allan o fyw, y gallwn greu atgofion a wnâi orchfygu'r lleddf rywfaint. Fe all ein hatgofion fod yn real. A dyna o ble daeth y llinell sy'n ymgorffori hyn:

'A lle roedd dydd yn cwrdd â'r nos, roedd rhannu byd. Ni ddaeth hiraeth.'

Fe all ein hatgofion fod yn fan i ni gyfarfod â'r rheiny a gollasom. Wrth glywed y llinell yma yn fy mhen, ro'n i nôl yn Iwerddon, yn Sligo a'r Fleadh Cheoil.

Yno cawsom y penwythnos mwya anhygoel; fel petase wedi ei greu ar ein cyfer. I ddechrau, taith bws swnllyd mewn hen groc o beth ar hyd hewlydd y cefn gwlad. Penne'n bobian yn gysglyd yn gwylio tirwedd canoldir undonog Iwerddon. A'r Guinness yn chwyrlïo yn ein bolie. Dyma'r agosa i mi deimlo fel Jack Kerouac erioed. Y bws yn griddfan yn ddyfnach wrth godi i diroedd uwch y gogledd-orllewin. Ac wedyn Sligo. Codi pabell yn frysiog a bwrw'r dre. Tafarn gynta. Cerddoriaeth yn arllwys allan trwy'r drws. Ni'n dechrau canu 'Brethyn Cartre'. Guinness am ddim. Dawnsio ar y stryd. Cwrdd â merched Armagh oedd wedi dawnsio yn y Cnapan. Cofleidio. Arogl hyfryd eu gwallt. Gwên. Ambell i gusan. Tafarn arall, un fawr y tro hwn a phiano yn y gornel. Bois yn pwyntio ato a fi'n eistedd o'i flaen yn ufudd. Ioan yn esbonio wrth y rheolwr ein bod am ganu. Guinness am ddim. Dawnsio ar y stryd. Merched Armagh eto. Dylan yn wincio. Nôl i'r maes pebyll. Coelcerth yn rhuo. Bochau coch a dawnsio. Gwallt y merched yn suo yn y gwres. Prydferthwch. Eistedd wrth y tân. Bachgen ifanc yn chwarae'r banjo. Cerddoriaeth drwy'r nos. Car yn stopio a bŵt yn agor. Dyn gwyllt yn taflu caniau o gwrw i'r dorf gan weiddi, 'Feed the People!'. Dawnsio mwy. Llygaid gwyrdd Merched Armagh. Barodd...Hyn...Oll...Am...Dri...Diwrnod. A gartre.

Wy nôl wrth y gitâr eto a deigryn hirboeth yn treiglo lawr dros fy ngwefusau. Teimlai fel petai ei dreigl ar hyd fy moch wedi para cyn hired â'r atgofion taranllyd oedd wedi symud drwof. Mor gyflym. Mor fyw. Yr atgofion o fyw bywyd yn llawn ac yn ifanc yn dod nôl fel rhodd. Ie, rhannu cof.

Mae'r gân heddiw yn destament i'n hieuenctid ac i Dylan Eurig. Doeddwn i ddim yn ymwybodol ar y pryd y byddai'r emosiynau sydd ynghlwm â hi yn cael eu hailadrodd.

Yn 2011, collais ffrind mynwesol arall, Gwion Rhys o Aberystwyth, unwaith eto mewn damwain car. Roedd Gwion yn feddyg a'i glyfrwch yn un â'i anwyldeb diymhongar. Unwaith eto, roedd y Cnapan yn gyfrifol am ein cyfarfod ynghyd â ffrindie eraill fel Gwern ac Ifan Evans a Marc Elis Jones, chwaraewr bodhran celfydd. Roedd Gwion hefyd yn gerddor ac yn chwaraewr mandola. Buom yn chwarae gyda'n gilydd yn y grŵp Dim Clem un flwyddyn yn yr ŵyl gydag Anna Beth James, Meilyr Siôn a Leon o Bontardawe.

Un flwyddyn, ar ôl chwarae yn y Sesiwn Fawr, dyma ni'n mentro nôl yn hwyr i'r maes pebyll ar y brynie uwchben Dolgellau. Am ryw reswm, roeddwn i yn gwbl argyhoeddedig fod yna lwybr cynt drwy'r goedwig na'r hewl droellog roeddem arni. Yn gwbl groes i ddoethineb Gwion, dyma fi'n mentro. Ond fi oedd yn anghywir. Gyda banjo yn fy llaw, fe ddaeth yn gwbl amlwg mai rhith oedd y *short cut* honedig. Ac roedd Gwion yn chwerthin yn braf wrth glywed y brigau a'r drain yn chwarae eu symffoni o anghydseiniau ar dannau'r banjo bach yng nghysgod Cader Idris.

Roedd Gwion yn meddu ar lot fawr o wahanol dalentau: yn wyddonydd galluog, ac eto gyda dawn adrodd, ac actio a cherddoriaeth yn dod yn naturiol iddo. Roedd ganddo ddoethineb dihafal hefyd. Roedd yn ffrind y gallen i droi ato am gyngor, yn stôr o wybodaeth ar bopeth o fathemateg i wleidyddiaeth, ond gyda'r boneddigrwydd diymhongar mwya naturiol yn rhan annatod o'i bersonoliaeth. Teithiais i Iwerddon gydag ef a Meilyr Siôn hefyd. Taith sydd heddiw'n dal yn effro yn fy nghof.

Mae'r gân yn awr yn driw i fy atgofion o Gwion hefyd ac yn llwybr i'r atgofion byw hynny. Wrth feddwl amdano ef a'r gân yn un, mae rhannu cof felly yn ymestyn at bobl eraill. Pobl fel Mam-gu Felin a'i chymeriad angerddol unigryw. Menyw oedd wedi gweithio'n galed i godi teulu tra'n gofalu am Dad-cu a oedd yn ffaeledig. Menyw oedd yn llawn bywyd a chân ac yn sgit am dorri bara'n unionsyth Gymreig. Fel mae'n digwydd, derbyniodd Dylan a Gwion sawl brecwast a brechdan oddi wrth Mam-gu yn ystod dyddiau'r Cnapan. Ar ôl miri'r ŵyl, mi fyddai Mam-gu yno i gynnig cysur cartref i'n heneidiau blinedig!

Mae'r gân yn awr yn perthyn hefyd i Mam-gu a Dats Ffostrasol. Nhw oedd yn arfer rhedeg y siop a'r swyddfa bost yn Ffostrasol cyn i Mam a Dad gymryd at y llyw. Roedd Mam-gu a Dats yn bâr oedd wedi cydweithio ar hyd eu bywyd priodasol: yn gyntaf, wrth ffermio yn Nolau Llwydon, Boncath; ac wedyn yn y siop yn Ffostrasol. Roedden nhw wastad gyda'i gilydd. Pan oedden ni'n blant, byddai Tres a minnau'n mynd i aros atynt yn Ffostrasol a byddai wastad ddanteithion amheuthun yn ein disgwyl. Un o'r rheiny oedd y pecynnau grawnfwyd brecwast arbennig a alwem y 'Pacs Bach', a minnau wastad yn chwilio am y bocs â'r teigr ar ei flaen. Mam-gu a Dats hefyd fyddai'n mynd â ni i Aberaeron ar gyfer un o'n hoff bethau – yr hufen iâ mêl hyfryd hwnnw ar y cei. Hyd heddiw, fedra'i ddim ymweld ag Aberaeron heb flasu'r hufen iâ unigryw.

Yn y chwe blynedd diwethaf, fe wnaeth Mam-gu Felin, Mam-gu a Dats Ffostrasol, fy ewythr Huw, modryb Sylvia ac

Wncwl Elfed ein gadael. Bu farw Dad-cu Felin pan o'n i'n bump. Roedd Elfed, brawd dad, yn un o'r ewythrod hynny oedd fel brawd hŷn pan o'n i'n tyfu fyny. Mi fyddai wastad yn chwarae gemau gyda ni. Yr un orau oedd esgus fod dolen y gwregys diogelwch yn y car yn *walkie-talkie*. Mi fydden ni'n dweud wrtho fod yr heddlu ar ein hôl, a dyma fe wedyn yn rhoi ei droed lawr a choedio ar hyd y ffordd tuag at bont Llechryd. Fe hefyd oedd y gwneuthurwr dyn eira gorau erioed. Gan ei fod yn adeiladwr, mi fyddai'n creu'r dyn eira mwya hynod gyda gofal a graen, ac wy'n cofio'r dyn eira hwnnw a'i het fowler amryliw a'r brwsh cans wrth ei ochr hyd heddiw. Cofio rhedeg i'r Felin wedyn i gynhesu'r dwylo fferllyd yn fwrlwm o ddisgwyliad a chwerthin. Mae'n rhan annatod o fy nghof.

A dyna fel mae'r gân a'r atgofion yn cael eu rhannu. Mae'r albwm hwnnw o luniau yn dal yn agored, heb bylu yn fy mhen. Fel afon Llechryd, mae'r lluniau'n llifo nôl. Fflachiade clir o wynebau, chwerthiniadau, cymeriadau. Fel yr afon, mae'r cordiau'n llifo'n barhaol, A, Bm, F#m, E ac yn troi a throi fel treigl amser. Wrth orffen y cordie, y melodi a'r geirie, roedd 'Rhannu Cof' yn gân benodol i fy ffrind mynwesol Dylan Eurig. Colli Dylan oedd y sbardun i greu rhywbeth oedd yn driw i'r atgofion hyfryd amdano. Dim ond wrth i'r blynyddoedd fynd heibio y tyfodd y gân i gynnwys eraill fel Gwion ac aelodau o fy nheulu. Fel un cwilt mawr sy'n dal i ymledu, mae'n gorchuddio'r rheiny sy'n dal yn fyw ac yn llachar yn y cof. Gobeithio y gall y cwilt hwn ymestyn dros bobl eraill. Ac y gall ei liwiau disglair, fel ein clytwaith atgofion, bylu ychydig ar yr hiraeth sydd ar eu hôl.

4.

Yr Eneth Glaf

(Traddodiadol)

Y mae'r haf yn hir yn dyfod,
Meddai geneth fechan glaf,
Pryd mae'r gwanwyn yma i ddarfod,
Pryd fy mam y daw yr haf?
Dweud o hyd y mae nghyfeillion
Dyma'r unig gysur gaf,
'Cwyd dy galon eneth dirion,
Mi fendi di pan ddaw yr haf.'

Oes rhyw arwydd bod hi'n cnesu?
Oes briallu hyd y nant?
Ydy'r adar bach yn canu
Ym mieri gwyllt y pant?
Dweud o hyd y mae nghyfeillion
Dyma'r unig gysur gaf,
'Cwyd dy galon eneth dirion,
Mi fendi di pan ddaw yr haf.'

Chlywodd neb y gog eleni
Ar hen dderwen fawr y ddôl,
Ond i honno ddechre canu
Haws it wenu ar ei hôl.
Ond pan aeth y dyddiau heibio,
Dyma'r unig gysur gaf,
Ar ei beddrod yn blodeuo
Y gwelir heddiw flodau'r haf

Fi a Dad ar Noson Lawen

Dyma hen gân werin sy'n agos at fy nghalon. Ond i mi, cân fy nhad yw hi. Fe ddes i ar ei thraws hi un noson yn y tŷ gartre yn Ffostrasol pan holodd Dad yn ei ffordd hamddenol nodweddiadol,

'Ti'n gwbod hon?'

Yn ddiweddarach fe wnaeth y ddau ohonom ei pherfformio ar raglen Noson Lawen. Ac erbyn hyn, mae'n gân 'go to' mewn unrhyw gyngerdd. I mi, mae'n fersiwn bersonol Gymraeg o'r gân Albanaidd/Wyddelig 'Go, Lassie Go', a oedd yn gân mor bwysig yn nheulu Roisin o'r ddwy ochr, y Clancys a'r Mooneys. Mae'r 'Eneth Glaf' yn llawn hiraeth am yr haf, a phan mae Dad yn ei chanu, mae'r stafell yn tawelu ac yn uno mewn rhyw swigen ysbrydol sy'n ymgorffori'r hyn wy'n deimlo yw Cymreictod.

Mae canu, a chanu gwerin yn benodol, wedi bod yn rhan bwysig o'r teulu. Roedd pob math o ganu'n boblogaidd ar y ddwy ochr. Roedd Mam-gu Felin yn soprano fedrus a enillodd yn yr Eisteddfod Genedlaethol. Roedd Tad-cu Felin yn wrandäwr brwd ar gantorion fel David Lloyd, Paul Robeson a Nat King Cole. Roedd fy hen Dad-cu ar ochr Mam yn chwaraewr ffliwt ac yn arweinydd côr ynghyd â bod yn grefftwr a gwneuthurwr cadeiriau eisteddfodol. Fe enillwyd rhai o'i gadeiriau gan Brifeirdd fel T. Llew Jones a Dic Jones. Mynnai Dic mai Cadair Tom Thomas, Llandyfrïog oedd ei ffefryn. Ac yn unol â'r traddodiad, mae Dad yn ganwr.

Mae gan fy nhad y llais tenor cynhesa a glywais erioed. Tuedd naturiol i denor yw i'r nodau uchel droi'n galetach i'r glust. Ond cafodd Dad yr anrheg o lais melfedaidd crwn. Dw'i ddim erioed chwaith wedi clywed neb sy'n perchnogi cân fel y mae e. Mae e fel petai'n mynd i berlewyg. Ac mae hyn yn ei dro yn trosglwyddo i'r gwrandäwr. I mi, mae pob cân mae'n ganu yn gân werin. Cân sy'n perthyn i'r bobl fydd yn ei gwmni. Mae canu felly'n fwy na pherfformiad mewn cyngerdd i nhad. Mae'n brofiad ysbrydol bron, fel math o currency rhyngom ond yn fwy gwerthfawr nag arian! Wy'n cofio'n grwt unwaith gweld Mam-gu Felin yn crio wrth i Dad ganu 'Myfanwy'. Roeddwn i'n chwerthin wrth fy hun wrth weld y fath ddwli sentimental. Doedd hi ddim tan o'n i yn fy nhridegau pan deimlais i lwmp yn fy ngwddf wrth glywed y gân. Yn syth, ro'n i'n deall. Yn fy mhen a nghalon, roedd 'Myfanwy' yn golygu Dad, Mam, Tres, Mam-gu, Tad-cu, y Felin, Llechryd, y Garth, y Tabernacl, y Teifi, Anthony, Elfed, haf, gaeaf, Ffair Aberteifi, Nadolig... popeth.

Dyna bŵer cân. Weithie mae pŵer seicolegol alaw a geiriau'n gallu'n syfrdanu yn y modd mwya anhygoel. Fel petai yna broses sydd yn ein hallanoli i gyfnod gwahanol, i berthynas neu i emosiwn. Yn aml, mae hyn yn gryfach oddi cartref pan glywn gân gyfarwydd. Wy'n cofio un tro bod ar wylie yn Llydaw gyda Roisin, Lowri, Cifa a Myfi. Roeddwn i'n ymweld â Phont-Aven lle roedd gŵyl fach leol yn cael ei chynnal. Wy'n cofio crwydro'r strydoedd caregog hyfryd ymhlith gwisgoedd deniadol traddodiadol y dawnswyr. Roedd Roisin wrthi'n sôn wrth y merched am yr artist Gauguin a fu'n byw yn y dre yn y 19eg ganrif, pan glywais alaw gyfarwydd yn fy nghyrraedd o bell. Yng nghanol miri'r ŵyl, dyma bibau traddodiadol Llydewig yn tarfu ar draws y cyfan. A dyma finnau'n torri ar draws stori ddiddorol Roisin am Gauguin yn y ffordd fwya amrwd. Ac am wn i yn cyhoeddi'n uchel fy nghloch.

'Hen Wlad fy Nhadau!' medde fi. 'Hen Wlad fy Nhadau!! Hen Wlad fy Nhadau!!!'

Ar y pwynt hwnnw, dyma fi'n cerdded tuag at sain y pibau, trwy'r torfeydd fel tase rhywbeth wedi fy hudo. Fel baedd yn rhedeg ar draws y clos wrth glywed slop yn cael ei arllwys i'r cafn, doedd dim stop arna'i.

'Hen wlad fy nhadau,' medde fi eto.

Y tro hwn, ei sibrwd yn fwy o dan fy anadl wnes i, ond yn benderfynol serch hynny. A wnes i ddim colli cam nes i mi gyrraedd caffi hardd yng nghanol y dre. Yno, roedd grŵp bychan o bibyddion yn chwarae ...Ie...HEN WLAD FY NHADAU...RO'N I'N IAWN! Dyma fi'n troi at hen ŵr lleol a gofyn,

'Sorry, but why are they playing Hen Wlad fy Nhadau?'

'Pardon?' mynte fe.

'Why are they... Sorry. What are they playing?'

Dyma fe wedyn yn esbonio mai dyma oedd alaw anthem genedlaethol Llydaw. Ac yn fy nhwpdra, gorfoleddais yn y wybodaeth hynod hon. Pan gyrhaeddodd Roisin a'r merched – roeddwn wedi eu gadael wrth gychwyn ar fy nhaith o wewyr – roeddwn yn belen or-frwdfrydig wrth esbonio'r ffaith hynod ein bod ni'n rhannu anthem genedlaethol. Nawr, pe byddwn i wedi darllen y ffaith hon mewn llyfr wrth eistedd ar fy soffa yn ôl yn y Barri, rwy'n amau a fyddai fy ymateb wedi bod mor eithafol. Wy'n siŵr na fyddwn wedi torri ar rythm fy llaw yn codi'r cwpan am lwnc o de a'i gostwng. Ond ar diroedd dieithr Ewrop, roedd clywed Hen Wlad Fy Nhadau wedi creu cryn argraff. A dyna bŵer alaw a chân.

Pan symudon ni i Ffostrasol yn 1981, fe wnaethon ni fel teulu ymddiddori mwy mewn cerddoriaeth werin a thraddodiadol. Roedd sawl rheswm am hyn. Ein pregethwr lleol ym Mwlch y Groes oedd y diweddar Elfed Lewys. Yn enwog ar draws Cymru fel canwr gwerin, fe ddaeth yn ffrindie gyda nhad ac fe ddaeth yn athro canu gwerin arnaf. Roedd Elfed yn wahanol i unrhyw bregethwr arall roeddwn i wedi ei gyfarfod. Doedd ganddo ddim siwt ddu, gwallt cwta, bochau eilliedig a llais syber a difrifol. I'r gwrthwyneb oedd Elfed ym mhob un ystyr. Roedd ganddo wallt hir na ellid mo'i ddofi, barf, sgidie platfform a'r llais bariton mwya cyhyrog a glywais erioed. Roedd yn angerddol yn ei gariad at ganu gwerin, a'i adnabyddiaeth o'r maes yn ddihysbydd. Ac yn bwysicach oll oedd ei ffordd o ganu. Pan ddechreuais gael gwersi ganddo, y peth cyntaf a ddywedodd wrtha'i oedd,

'Os wna'i dy ddysgu i ganu gwerin, paid disgwyl ennill mewn eisteddfodau.'

Y rheswm am hyn oedd bod y ffordd yr oedd e'n credu y dylid canu gwerin yn wahanol i'r gogwydd poblogaidd o ganu gwerin eisteddfodol. Hynny yw, doedd e ddim o reidrwydd yn gorfod bod yn ganu neis-neis. Ar y pryd, doeddwn i ddim yn argyhoeddedig. Ond erbyn heddiw, mae'n parhau i fod yn un o'r brawddegau pwysica yn fy addysg. Cafodd hyn ei atgyfnerthu yn hwyrach yn fy mywyd pan glywais Liam Clancy yn ei ffilm *The Yellow Bittern* yn disgrifio sut wnaeth y Brodyr Clancy wyrdroi ffasiwn canu gwerin yn y chwedegau. Roedden nhw'n paratoi fersiwn o'r gân werin Wyddelig am y lleidr pen-ffordd 'Brennan on the Moor'. Tra'n eistedd ar soffa enfawr yn Greenwich Village, Efrog Newydd â'i gitâr yn ei law, sylwodd Liam fod sbrings y soffa yn cydymffurfio â rhythm yr offeryn. Roedd y naill elfen yn dylanwadu ar y llall, fel petai'n adlewyrchu symudiad Brennan ar gefn ei geffyl. Yn ei dro, rhoddodd hyn deimlad cyflymach a mwy angerddol i'r gân, lle yn y gorffennol y byddai'n cael ei chanu'n araf ac yn fwy parchus. Fe newidiodd y Clancys gŵys canu a thraddodiad gwerin Iwerddon yn fyd-eang. Wy'n gallu gweld heddiw fod Liam Clancy ac Elfed Lewys yn ddwy lathen o'r un brethyn. Wy'n freintiedig fy mod wedi cael cwrdd, perfformio a chael fy nylanwadu'n fawr gan y ddau.

Ar yr un pryd â chychwyn fy addysg gerddorol gydag Elfed, roedd ef, fy nhad ac Emyr Llew wedi cychwyn Clwb Gwerin Ffostrasol yn y neuadd bentre. Yn wir, roedd Emyr yn ddylanwad mawr ar y pentre a'r fro. Mi fyddai ef a nhad yn trafod syniadau gwahanol yn y tŷ. Ac wedyn mi fyddai'r syniad yn cael ei wireddu. Nid eistedd nôl, ond gwneud. Nid siarad gwag, ond gweithredu. Roedd hwn yn gyfnod o greu cymdeithasau a digwyddiadau oedd yn gynfasau diwylliannol i'r ardal o'n cwmpas. Pethau fel papur bro Y Gambo, Cymdeithas Adloniant i Ni'r Cymru (Cainc) a Chlwb Criced y Gwerinwyr.

Roedd hwn yn glwb criced newydd, a chafodd yr enw'n fuan iawn o fod yn glwb oedd yn gwneud popeth yn Gymraeg. Wy'n cofio'r sgorfwrdd hyd heddiw ar faes y tu allan i fwyty Alun a Mair, Synod, Cegin Siôn Cwilt. Roedd y llythrennau bras gyda 'Rhediadau' a 'Pelawdau' ar ei draws yn rhywbeth newydd i dimoedd y fro. Roedd llawer o chwaraewyr talentog yn y tîm hefyd. Mae pobl fel Alun Rees a meibion Emyr, sef Owen a Guto, yn dod i'r cof. Serch hynny, ambell ddiwrnod, fel yn achos pob tîm chwaraeon cefn gwlad, byddai'r niferoedd yn brin.

Un tro roedd y Gwerinwyr yn chwarae yn erbyn Llandysul ar gaeau Ysgol Dyffryn Teifi uwchlaw'r pentre, a'r gwrthwynebwyr yn draddodiadol yn dîm cryf. Roedd hi'n gêm fawr. Ond am ryw reswm, oherwydd galwadau eraill ar rai o'r chwaraewyr, bu'n anodd i'r Gwerinwyr gael tîm cyflawn. Yn hwyr y bore hwnnw, roedd Elfed Lewys wedi digwydd galw am baned. Wrth i'r newydd ein cyrraedd fod chwaraewyr yn brin, cafodd Elfed ei dywys i'r maes gyda'i ast fach Tes yn ei ddilyn. Doedd Elfed erioed wedi dal bat criced yn ei fywyd. Ond byddai'n angerddol o flaen cynulleidfa'r capel neu wrth arwain parti'r bois yn y clwb gwerin. Rhaid oedd iddo wneud y tro.

Fe drodd y gêm i fod yn un glòs iawn wedi'r cyfan gyda selogion y Gwerinwyr yn gwneud digon i ddod bron o fewn cyrraedd at gyfanswm parchus Llandysul. Ond fe gollwyd rhai o'u wicedi olaf yn rhad. Ac wrth iddyn nhw ymgripio tua'r targed, a gydag un rhediad yn angen ac un bêl ar ôl, fe gollwyd wiced arall. Dyma lygaid y tîm yn troi at Elfed. Prin bum troedfedd a hanner o bregethwr a chanwr gwerin oedd yn fwy cyfarwydd â phren y pulpud na'r tair troedfedd o bren helygen oedd nawr yn ei law. Wrth gerdded i'r llain, roedd y padiau ar ei goesau yn ymdebygu i waders pysgotwr gan iddyn nhw ymestyn fyny ymhell dros ei bengliniau yn ddiogel. Ond roedd ei gerddediad yn benderfynol wrth iddo ollwng tennyn Tes fach i'r gwyrddni.

Wy'n cofio gwylio'r darlun o'n blaenau fel cynulleidfa nerfus. Roedd prif fowliwr gorau Llandysul wedi ei gadw hyd y belawd olaf, a hwnnw fel tarw'n pawennu'r ddaear ac yn paratoi i ruthro tuag at y matador bach oedd yn sefyll o flaen y wicedi tal, a'i wallt hirllwyd yn chwythu'n arwrol yn awel gynnes mis Awst. Dyma sŵn camau chwim y bowliwr yn cyrraedd yn rhythmaidd ac yn fygythiol gan godi dwst y maes. Dyma fe'n cyrraedd y llain, ninnau'n ei wylio rhwng bysedd ein dwylo. Ac wrth iddo hyrddio'r bêl goch, galed o'i law dde, fe ddigwyddodd rhywbeth nas gwelwyd ar gae criced erioed o'r blaen. Fe amneidiodd Elfed mewn osgo rhyfedd o ryfeddod. Fel petai'r bat yn mynd un ffordd a'i goesau'r ffordd arall, a'i wallt yn chwifio yn y gwynt a'i ysgwyddau ymlaen wrth i'w draed ffarwelio â'r ddaear. Fel ystryw consuriwr, doedd neb yn gwybod ar beth i edrych, gan gynnwys y dyfarnwr, wrth i'r bêl anwesu ochr allanol pad chwith Elfed a chwyrlïo heibio'r wicedwr tua'r ffin. Wrth iddi hedfan yn chwim, medrwn ddychmygu'r bêl yn edrych nôl gan ofyn,

'Beth ddigwyddodd fanna?'

Roedd y gêm ar ben a'r Gwerinwyr yn dathlu'n annisgwyl o fuddugoliaethus uwchben cwm hyfryd Llandysul. Wrth adael y maes, wy'n cofio sawl un o'r tîm yn proffesu fod yna ddeuddegfed aelod yn nhîm y Gwerinwyr y diwrnod hwnnw yn edrych lawr o'r cymylau gwyn ar y cawr a'r galon fawr a'r coesau byrion.

A beth sydd gan gêm griced i'w wneud â chân hyfryd 'Yr Eneth Glaf'? Daw geiriau'r gân yn ôl i mi, 'Y mae'r haf yn hir yn dyfod'. Geiriau hiraethus fel yn 'Go Lassie Go': 'And we'll all go together to pluck wild mountain thyme,' gan fy atgoffa o'r hyn oedd diwylliant gwerin fy mebyd. Y straeon. Yr alawon. Y gemau. Y cymeriadau. A'r atgofion. Roedd dyddie fel hwnnw ar gae criced Llandysul yn rhan o'r ffabrig.

Wn i ddim sawl gwaith glywes i'r stori am rediad aur Elfed ers hynny, a'r stori'n ymestyn bob cynnig. Mae hyn yn rhan annatod o lên gwerin, neu straeon y rhewl. Wy'n aml yn meddwl fod eog a ddaliwyd yn Llechryd fodfeddi'n hirach erbyn i'r stori gyrraedd Aberteifi, ac mae hyn yn bwysig. Hynny yw, bod straeon ein llwybrau fel gwythiennau ein bodolaeth, a'r gallu ffuglennol weithiau'n bwysicach na'r ffaith.

Mi fydda i'n meddwl weithiau beth oedd gwir daldra Bendigeidfran yn stori Branwen wrth ystyried hyn. Wy'n siŵr ei fod e'n glampyn o foi, efallai fel Alun Wyn Jones neu Paul O'Connell. A wy'n siŵr ei fod wedi bod yn allweddol yn y gorchwyl o groesi afon Llinon yn Iwerddon. Ond wy hefyd yn sicr fod canrifoedd o goginio yn y pair yn cyfoethogi stori gan bwysleisio'r angen inni greu arwyr yn ein plith. Anghofia'i fyth weld y wasg Ffrengig yn cyfeirio at Shane Williams unwaith fel 'Peter Pan'. Tybed mewn mil o flynyddoedd a fyddwn yn ei gofio fel chwaraewr oedd yn gallu hedfan dros gae rygbi â phêl yn ei law?

Mae ochr bwysicach serch hynny i'n llên gwerin. Mae straeon llawr gwlad yn dal gwirioneddau nas gwelir mewn llyfrau hanes. Mae Liam Clancy yn ategu hyn yn ei ffilm *The*

Yellow Bittern. Mae'n sôn am gân Wyddelig o'r enw 'The Rocks of Bawn' sy'n adrodd hanes ffarmwr tlawd yn ystod caledi'r Newyn Mawr. Mae'n sôn am ei sgidiau dirywiedig a'r ymwybyddiaeth pan gilia'r lledr, na fydd yn medru aredig tir caregog Bawn. Ac o ganlyniad, bydd ef a'i deulu'n newynu a marw. Mae hyn yn fy atgoffa o'r gân Gymraeg, 'Yr Eneth Gadd ei Gwrthod', lle mae'r ferch yn cael ei herlid am feichiogi y tu allan i briodas. Mae'n syllu ar y brithyll yng ngwely'r afon ac yn chwenychu symlrwydd ei fodolaeth.

Mae'r storïwyr gwerin yn ein caneuon, am wn i, fel y cymeriad hwnnw Ifor Bach yn Llechryd. Cymeriadau oedd y rhain fyddai'n gweld a chlywed popeth ond efallai'n gyndyn i ddatgelu'r straeon wrth rywrai mewn awdurdod, heddwas, athro neu hanesydd. Yn aml, mae elfennau o'n hanes yn anodd eu hamgyffred ac yn destun siom neu gywilydd. Mae'r rheiny a ganodd ac a rannodd ar lafar y gwirioneddau hyn felly'n faromedr hanfodol o bwy ydym ni.

Mae'r ffabrig gwerinol yn fy atgoffa o achlysur unigryw yng Nghlwb Gwerin Ffostrasol yn yr wythdegau pan aeth Dad, Emyr ac Elfed ati i drefnu Eisteddfod Werin yn y pentre. Mae rhai'n dal i sôn am yr achlysur hyd heddiw. Eisteddfod oedd hi lle roedd pobl nad oedd erioed o'r blaen wedi camu ar lwyfan yn cymryd rhan. Pobl fel Ewart Castell a Bessie'r Hendre yn adrodd a chanu a'r neuadd dan ei sang. Roedd y lle fel ryw *Cinema Paradiso*, y pentrefwyr oll yn bresennol, yn anadlu, chwerthin, crio a chymeradwyo gyda'i gilydd.

Wrth i'r nos hwyrhau, llifodd bois y bac i mewn i gefn y neuadd gan ychwanegu lefel arall o ymateb, chwerthin a lliw i'r noson. Un o'r rheiny oedd Twm Pensarn. Roedd Twm yn ymgorffori'r drygioni gorau sy'n rhan annatod o'r gorllewin. Rhai sy'n coleddu'r rheidrwydd anorfod o wneud neu ddweud rhywbeth rywfaint yn groes i'r graen. Rhywbeth i dynnu beirniadaeth rhai o barchusion y fro ond hefyd dynnu'r boen bleserus o ddal chwerthin yn ôl tra bod llaw dros eich bol.

Fe glywais stori amdano mewn steddfod yng Nghoed-ybryn. Roedd ef a'r drygionus rai wedi cyrraedd yn ystod yr her unawd ar ôl gwlychu pig. Roedd yr eisteddfod yn graddol dynnu at ei therfyn yn ystod orie mân y bore. Wrth i sŵn y dorf gynyddu a'r bois yn fwrlwm afreolus yn y bac, cafodd yr arweinydd gryn drafferth i gael rheolaeth ar y gynulleidfa. Am wn i, dyma darddiad y ple poblogaidd,

'Tawelwch yn y cefn! Drysau ar gau!'

Roedd yr her unawd yn binacl ar yr eisteddfod, a honno'n eisteddfod lwyddiannus gyda'r enwog Ted Morgan o Landysul yn cyfeilio. Ta beth, yn y pen draw, a hithau erbyn hyn yn dri o'r gloch y bore, dyma'r arweinydd o'r diwedd yn cael rheolaeth ar y dorf. Ond wrth iddo gyflwyno'r unawdydd olaf yn y distawrwydd llethol, dyma Twm yn ynganu'r geiriau anfarwol:

'Têc it awei, Ted!'.

Bu'r arweinydd gryn chwarter awr cyn adfer y tawelwch. Wrth gofio nôl, doedd dim drygioni cweit o'r lefel hynny yn Eisteddfod Werin Ffostrasol. Ond roedd yna awyrgylch fythgofiadwy gynnes nas cafwyd ers hynny yn y pentre. Roedd y noson honno yn gatalydd i ddigwyddiad mawr a pharhaol arall.

Roedd y fro yn ystod yr wythdegau yn fwrlwm o drigolion oedd yn gwneud i bethau ddigwydd. Rhai o'r rheiny aeth ati i sefydlu Gŵyl Werin y Cnapan. Aelodau'r pwyllgor cynta oedd Dad, Elfed Lewys, Ian a Carol ap Dewi, Steff Jenkins, Gwyndaf Roberts Ar Log a'r anfarwol ddiweddar Dai Nymbyr Ffôr, un o wir fois Ffostrasol ac awdur yr acronym CAINC (Cymdeithas Adloniant i Ni'r Cymry). Ie, Dai Ffostrasol, nad oedd arno angen cyfenw. Yn ystod y cyfnod yn arwain at y Cnapan, byddai yna lu o gyngherddau'n cael eu cynnal gyda grwpie fel Ar Log, Plethyn, Dafydd Iwan, Huw Chiswell a'r Hwntws yn ymwelwyr cyson â'r ardal. Rhain oedd hadau'r Cnapan.

Ar yr un pryd, aeth fy athrawes canu, Carol Davies oedd yn rhedeg Aelwyd yr Urdd Penrhiwllan gyda'i gŵr diwyd Ainsleigh, ati i ffurfio grŵp gwerin i wyth ohonom ni bobol ifanc, sef Gwergan. Roeddwn i'n cael gwersi mandolin gyda'r diweddar

Deri Smith o Dalgarreg. Roedd fy chwaer yn chwarae'r ffliwt, Eurgain a Heledd Dafydd ar y delyn a'r gitâr, a Ceindeg Haf, Nia Jones, Janet Philips a Philip Arosfa Thomas yn cwblhau'r grŵp. Cawsom flynyddoedd hyfryd o gigio ar draws Cymru, recordio albwm gyda chwmni recordio Fflach, ac i goroni'r cyfan, cawsom y fraint o agor gŵyl werin gyntaf y Cnapan yn 1985.

Ar ôl sefydlu'r ŵyl, tyfodd criw o'i chwmpas oedd yn allweddol i'w llwyddiant. Pobl fel Gwyneth Wyn, Marian Evans, Pete Creigle Evans, Pete Talgarreg, Enfys Llwyd, Eileen Curry, Brian Pencader, Glyn a Feio Jones ac wrth gwrs, pentref Ffostrasol yn gyfan. Wrth edrych nôl, roedd yr ŵyl yn brifysgol gerddorol i mi. Ar yr un llaw, roedd Islwyn Evans yn allweddol yn fy hybu i gyfansoddi yn Ysgol Dyffryn Teifi. Ond Y Cnapan fu'n gyfrifol am ennyn fy ngharaid at gerddoriaeth draddodiadol a gwerin.

A dyna beth oedd prifysgol! Bob haf, byddai'n tŷ ni a'r siop ar y sgwâr yn swyddfa gwerthu tocynnau. Yno oedd calon y gweithgareddau yn hwb i'r holl beth. Cynhaliwyd yr ŵyl gyntaf yng Nghanolfan Hamdden Drefach Felindre. Ond ar ôl y flwyddyn gyntaf honno, sylweddolwyd yn fuan iawn nad oedd y lle'n ddigon mawr i'w chynnal. Fe wnaeth Dad gynnig mewn pwyllgor yn nhafarn Ffostrasol y dylid ystyried ei chynnal yn y sied fawr gyferbyn â sgwâr y pentre. Ymateb gwreiddiol sawl un i gychwyn oedd chwerthin. Ond yn raddol dyma bawb yn rhannu'r weledigaeth. Ac o hynny ymlaen, doedd dim edrych nôl. O flwyddyn i flwyddyn, fe dyfodd yr ŵyl fach law yn llaw gyda'r sied. Bu'n rhaid ychwanegu ati gyda phabell ar un ochr i gychwyn. Wedyn bu'n rhaid codi pabell fwy o faint nes yn y pendraw bu'n rhaid cael pabell bafiliwnaidd annibynnol, a'r hen sied druan yn gorfod bodloni ar fod yn lleoliad y bar.

Ynghyd â holl dalentau Cymru, cefais weld a chlywed rhai o artistiaid mwya'r sîn werin. Yn eu plith roedd y Fureys, De Dannan, Capercaillie, Sean McGuire ac wrth gwrs y Dubliners, i enwi dim ond rhai. Er i hyn oll ddigwydd o fewn tafliad carreg o'r tŷ, fe wnes i wersylla ar y maes bob blwyddyn wrth gwrs! Fe ddaeth y Dubliners atom fwy nag unwaith ac yn sgîl hyn daethant yn adnabyddus i bentrefwyr Talgarreg gan iddynt aros bob tro yn nhafarn Glanyrafon yn y pentref. Un flwyddyn, aethant ati i roi perfformiad arbennig i Ferched y Wawr yn y neuadd rhyw brynhawn. Dyna oedd hinsawdd ac ethos y Cnapan. Câi'r ardal ei thrawsnewid i fod yn ŵyl a'r artistiaid yn dod yn rhan naturiol o'r fro.

Wy'n cofio, un flwyddyn, y pibydd enwog Davy Spillane yn eistedd yn lolfa'r tŷ gartre ac yn bwyta llwyth o orenau. Credai fod orenau'n gymorth i'w ysgyfaint a'i anadl. Roeddwn wedi ei glywed ar recordiadau ac yn gwybod amdano fel aelod o'r grŵp enwog, Moving Hearts. Roedd yn brynhawn cynnes, a rownd derfynol Wimbledon ar y teledu. Roedd Boris Becker yn chwarae Ivan Lendl a'r ddau ohonom eisiau i'r hen Lendl ennill er ei fod e'n grintachlyd.

Fflachiadau fel hyn. Dyna beth ddaw ataf. Cerddoriaeth. Canu. Campio. Cwrw. Caru. Craic. Cnapan.

Ie, Gŵyl y Cnapan. Ni allaf ddianc rhag hon. Dyma'r rheswm i mi gael bouzouki fel anrheg ar fy mhen-blwydd yn ddeunaw oed. Dyma pam y cychwynnais fynd i ŵyl y Fleadh Cheoil yn Iwerddon. Dyma pam y cwrddais â cherddorion fel Donnchadh Gough, Hugh O'Carroll, Evan Grace, Finbarr Clancy, Aoife Clancy, Helina Rhys, Dan Lawrence, Siân Meirion, Marian Evans, Colm Power a Graham Clancy. Dyma pam y cychwynnais y gwahanol grwpie – ie, Dim Clem oedd un a Hergwd oedd y llall. Ond yn anad dim, dyma pam y cwrddais flynyddoedd yn ddiweddarach â fy ngwraig annwyl, Roisin.

'Yr Eneth Glaf'. Un gân fach Gymraeg yn agor ogof o fyd. Wy'n cofio rhoi trefniant newydd iddi i fi a nhad ar gyfer rhaglen Noson Lawen ar S4C. Doeddwn i ddim ar y pryd yn sylweddoli gymaint o benillion heb eto'u cyfansoddi oedd y tu ôl i'r cord gyntaf ac olaf yn G mwyaf.

5.
The Deise Day

Sometimes a young man, sometimes an old man,
Sometimes I'm both inside a day,
The breeze consoles me, the sea reminds me
Of all the words that came my way

The Deise Day is long and easy,
The Comeragh skies are darkening blue,
But as we raise the parting glasses
I know that I'm home again with you.

The ship was waiting, my brothers calling,
My youth was burning like the sun,
The Suir was ebbing towards my leaving
Just like me, a chapter said and done.

The Deise Day is long and easy,
The Commeragh skies are darkening blue,
But as we raise the parting glasses
I know that I'm home again with you.

The clouds are drifting, the sky is clearing,
I hear an echo of a song,
A lassie going, a rover roving,
A John a-dreaming all night long.

The Deise Day is long and easy,
The Comeragh skies are darkening blue,
But as we raise the parting glasses
I know that I'm home again with you.

Bobby Clancy

Yn 2007 derbyniodd Roisin a finne wahoddiad i berfformio yng Ngŵyl y Brodyr Clancy, y gyntaf ohonyn nhw, yn Carrick on Suir. Mae Roisin yn ferch i'r diweddar Bobby Clancy a Moira Mooney. Fel rhan o'r cyngerdd yma, fy mwriad oedd ysgrifennu cân yn arbennig ar ei gyfer. Cân oedd yn rhyw fath o deyrnged i Bobby ond hefyd i'w frodyr a phobol ardal y Déise yn neddwyrain Iwerddon. Mae'n anarferol i mi gychwyn cân gyda thema benodol yn fy mhen. Fel arfer mi fydda i'n gadael i'r broses ddigwydd yn naturiol o'r ddalen lân i'r cordiau, y melodi a'r geiriau sy'n esblygu o'r teimladau, yr atgofion a'r emosiynau a ddaw allan. Roedd hon yn gân wahanol. Ble, felly, i ddechrau? I grisialu stori'r gân, rhaid mynd yn ôl i Hydref 1996. Y flwyddyn honno, roeddwn i'n gweithio gyda Chwmni Theatr Arad Goch yn Aberystwyth mewn sioe o'r enw *Taliesin*. Sioe oedd hon wedi'i seilio ar y chwedl enwog honno gyda storïwyr a chymeriadau yn plethu drwy gerddoriaeth a dawns. Roedd arddull Jeremy Turner o'i chyfarwyddo yn tynnu ar arddulliau'r anterliwt gyda chymeriadau stoc lliwgar fel y wrach a'r ffŵl.

Roedd gennym gast talentog ac amrywiol: Gwion Huw, Gwenfair Vaughan Jones, Ioan Evans (Huw Llŷr yn hwyrach), Siân Meirion a finne. Roedden ni i gyd yn storïo, chwarae cymeriadau, canu a dawnsio. Ar y pryd, roeddwn i'n tybio fod gennym sioe dda ar y gweill. Ac yn wir, fe aeth ymlaen i deithio'r byd i wledydd fel America, Canada, Denmarc a Singapore. Fe aeth hefyd i Ŵyl Theatr Dulyn, lle'r enillodd y wobr fel y sioe orau i bobl ifanc y flwyddyn honno. Roedd hi'n flwyddyn bwysig i mi oherwydd dyma pryd wnes i gwrdd â Roisin.

Ar ôl astudio Hanes, Celf ac Almaeneg yng Ngholeg Prifysgol Dulyn (UCD), roedd Roisin wedi bod yn astudio actio yn yr enwog American Academy of Dramatic Arts yn Los Angeles. Ar ôl rhai blynyddoedd o weithio yno, roedd ganddi'r awydd i ddychwelyd i Iwerddon am gyfnod. Cafodd waith yn ystod yr ŵyl yn Theatr yr Ark, Temple Bar, lle roeddwn i'n perfformio *Taliesin*. A dyna ni.

Doeddwn i ddim erioed wedi cwrdd â neb fel hi. Roedd hi'n beniog, prydferth â llygaid gwyrddlas oedd yn hoelio fy ngolwg yn syth. Y noson gyntaf i ni gwrdd yn iawn, roeddwn yng nghlwb yr ŵyl yng Nghastell Dulyn. Mae'n rhaid inni siarad am oriau, a sylweddolais bryd hynny fod cymaint gennym yn gyffredin o ran ein cefndiroedd. Dim ond wrth adael wnaeth hi sôn am ei thad a'r Brodyr Clancy. Ond roedd hi a finne eisoes wedi bod yn trafod caneuon a cherddoriaeth.

Y noson ganlynol, fe wnaethon ni fynd allan ar ein dêt go iawn cyntaf. Cwrdd yn yr Ha'penny Inn, bwyd (Beef Teriyaki) ym mwyty Yamamori ar Dame Street a chân neu ddwy yn y Boar's Head a chusan fach tu fas! Anghofia'i fyth 'mo'r dyddiad. Yr 16eg o Hydref 1996, a dinas Dulyn ar ei byrlymus, hudolus orau.

Cwrddais â theulu Roisin rai wythnosau yn ddiweddarach yn eu cartref ar William Street, Carrick on Suir: chwaer Roisin, Aideen, ei brawd Finbarr, sy'n chwarae yn y grŵp The High Kings, ei mam, Moira, o deulu enwog y Mooneys, a'i thad Bobby. Yn nes ymlaen, cwrddais ag Aoife, chwaer hynaf Roisin oedd yn byw yn Boston ac yn canu yn y grŵp Cherish the Ladies. Roedd hi'n chwerthin bob tro y byddwn yn dweud 'brown shoes' oherwydd fy acen!

Roedd Roisin wedi fy annog y dylwn, pan ddeuwn yn ôl i Iwerddon, ddod ag offeryn gyda mi. Cyrhaeddais Carrick felly â châs mandolin yn fy llaw, braidd yn nerfus yn naturiol o fynd i gwrdd â'r teulu am y tro cyntaf, a chwrdd yn arbennig â Bobby, y canwr gwerin byd-enwog. Fedrwn i ddim bod wedi cael mwy o groeso. O fewn yr hanner awr cyntaf, roedd y canu wedi dechrau a glaseidiau llawn o'n blaenau. Roedd Roisin a finne wedi trefnu mynd allan i ginio'r noson honno, a phan ddaeth yn amser inni adael, dyma Bobby'n troi ati gan ddweud,

'What? You're taking him away from us?'

Roedd Bobby yn ddyn a hanner. Er ei fod dros ddeugain mlynedd yn hŷn na mi, roedd e fel ffrind go iawn. Dw'i erioed wedi gweld neb a allai ddiddanu a rheoli stafell fel fe. Mi fyddai'n gallu troi tafarn yn fyd arall gyda'i ddawn o ganu, chwarae'r banjo, adrodd stori neu farddoniaeth. Ef oedd yr agosaf i'r Cyfarwydd neu'r Seanachaí a welais erioed. Ond doedd e ddim yn ymgorffori traddodiad ffuantus artiffisial 'Poetry & Pints'. I'r gwrthwyneb. Mi fyddai noson yn ei gwmni yn deillio'n uniongyrchol o'r awyrgylch o'i amgylch. Treuliodd flynyddoedd yn teithio Iwerddon yn casglu caneuon, straeon a barddoniaeth gwerin. Ond roedd hefyd yn feistr ar adrodd Yeats, Kavanagh neu hyd yn oed Dylan Thomas. Mi fyddai'r wybodaeth a'r repertoire ganddo i nabod pob ardal a phob tafarn. Mi welais hynny ar ei orau efallai ddim ond mater o wythnosau cyn iddo farw.

Roedd wedi bod yn dioddef â pulmonary fibrosis ers sawl blwyddyn. Clefyd creulon a therfynol yw hwn, lle mae'r ysgyfaint yn caledu gan adael y claf yn fyrrach ei anadl bob dydd. Yn ei flwyddyn olaf, roedd Bobby'n dioddef yn enbyd. Ac yn raddol, byddai cerdded deg llath yn ormod iddo. Serch hynny, fel drwy ryw ryfedd wyrth ac fel sy'n digwydd weithiau i bobl mewn salwch, cafodd ryw fath o hoe o'i glefyd am rai dyddie fel petai cymylau duon ei gyflwr wedi cilio. Yn ystod y cyfnod byr hwnnw, roedd ei ysgyfaint wedi clirio rywfaint a'r gallu i gerdded wedi dychwelyd. Yn ystod y dyddie gwerthfawr hynny, mi fachodd Bobby ar ei gyfle.

'Come on,' medde fe, 'We're going out for a session.'

Do'n i ddim eisiau dadlau, a dyma ni bant! Nawr roedd Bobby yn nabod tafarnau yn y llefydd mwya diarffordd. A'r noson honno, cadwodd un o'r perlau mwyaf ar gyfer yr achlysur arbennig hwn. Fe deithion ni ar hyd ffyrdd rhewllyd gogledd-orllewin sir Waterford cyn troi cornel hir. Roedd e fel petaswn wedi troi'r gornel i Iwerddon y pedwardegau.

O'n blaenau roedd tafarn O'Briens, Millstreet. Adeilad hynafol oedd hwn, a'r pebbledash brown fel hen got amdano. Y tu allan safai dau bwmp petrol, eu deialau wedi rhewi ar rifau cofnodi'r galwyni olaf a lifodd drwyddynt flynyddoedd yn ôl. Heibio'r ddau bwmp segur â ni, ac i mewn trwy ddrws isel heibio stafell fyw, am wn i, ac i mewn i'r hyn oedd yn debyg i siop fach. Hen duniau ar hen silffoedd, rheiny wedi bod yno, o bosib, ers cyn cof. A llechi llwydlas yn clecian yn oer dan ein traed ar y llawr oddi tanom. Un bachan oedd yno, a hwnnw yn y gornel yn llowcio yn achlysurol o 'large bottle o' Guinness' oedd ar y grât wrth ei ymyl. Roedd hen ŵr y tu ôl i'r cownter yn brwydro i sythu ei gefn er mwyn gweld pwy oedd y newydd-ddyfodiaid.

Cawsom beint bach yr un, a thawel fu hi am ryw hanner awr. Roeddem ar fin symud ymlaen pan gyrhaeddodd cymeriad mewn siwt frethyn frown a het drilbi yn swatio'n llipa ar ei ben. Roedd ei drwyn yn rhychlyd rhwng ei ddwy foch goch. Roedd ei lais fel petai wedi llifo dros bapur tywod ar ei ffordd allan o'i enau.

'Jesus. Bobby Clancy! I'd say I haven't seen you here for a solid thirty year!'

Ac roedd e'n gywir. Dechreuodd y ddau olrhain hanes arbennig y noson honno yn O'Briens ddeng mlynedd ar hugain yn gynharach, a hynny mewn atgofion disglair. Y cymeriadau, y straeon, y caneuon. Eisteddais yno yn rhyfeddu fod eu hatgofion yn hŷn nag oeddwn i, a lliwiau eu darluniau yn llachar fyw.

Dechreuodd ambell gymeriad ymlwybro i'r dafarn. Hen ddynion i ddechrau a oedd yn falch o weld Bobby unwaith eto. A dyma'r banjo mas. O hynny ymlaen, roedd Bobby ar dân. Perfformiodd gân ar ôl cân, cerdd ar ôl cerdd, stori ar ôl stori. Y rhai cyfarwydd, 'Brennan on the Moor', 'Come By the Hills', 'Go Lassie Go', ac eraill yn frith o eiriau llafar Yeats. Ond hefyd straeon, penillion a chaneuon nad oeddwn i erioed wedi eu clywed o'r blaen. Darnau o hanes a diwylliant Millstreet ar lafar ac ar goedd mewn stafell fach. Roedd un gân, 'The Cock Robin', wedi tynnu sylw un oedd o dan deimlad.

'That was my brother's song,' meddai. 'That song was his favourite. He died thirty years ago after you were here last. Just this last week, I was thinking about him a lot. It was hard. That song was a great comfort. Thank you Bobby.'

Tua chanol nos, daeth yn amlwg fod hanes presenoldeb Bobby wedi lledu ar draws y plwyf. Dechreuodd torf lifo i mewn i'r hen siop. Hen, ifanc, gwragedd, mamau, tadau, plant. Ac am bum awr wedi hynny roedd y bar a'i bedair wal wyngalchog dan ei sang. Roedd hi fel petai'r byd go iawn ddim yn bodoli. Dim problemau, dim morgeisi, dim swyddi, dim salwch. Dim ond y gân. Y nos yn union fel petaen ni yn Nhír na nÓg. Cyrhaeddom adref gyda'r wawr, a dyma fi'n dihuno Roisin i ddweud wrthi i mi gael un o'r nosweithiau mwyaf bythgofiadwy erioed yng nghwmni ei thad. O fewn wythnos neu ddwy roedd Bobby wedi marw.

Dychwelais i O'Briens ar ôl ei angladd gyda Roisin a chyflwyno llun ohono i'r perchnogion i gofio'r noson olaf honno. Wrth gerdded i'r siop, roedd yn edrych yn llai'r tro hwn, a'r llechi ar lawr yn llaith o dan draed – arwydd fod glaw ar y ffordd. Roedd arogl yr hen le yn ail-greu naws y noson olaf ym mherfeddion fy enaid. Ond roedd hi'n dawel. Yn rhy dawel. Fe wnaeth y ddau ohonom ddychwelyd i'r car wrth y pympiau galarus a'r dagrau'n llifo'n dawel dros ein bochau.

Bu Bobby'n ddylanwad mawr arna'i. Yn gefnogol ac yn gyfaill. Mae ei ffordd ddihafal o berfformio'n dal yn fyw yn Roisin. Mae ganddi'r hyder a'r presenoldeb unigryw hwnnw ar lwyfan oedd yn perthyn i'w thad, a gobeithio y bydd hynny'n wir am ein merched. Wy'n siŵr ei fod e. Drwy gwrdd â Roisin, cwrddais hefyd â theulu oedd mor debyg i 'nheulu i. Teulu lle mae caneuon fel currency. Ond yn fwy gwerthfawr nag arian. Yn fodd o gysylltu pobl â'i gilydd, ein cysylltu ni â rhywbeth sy'n fwy na ni'n hunain. Roedd Bobby yn debyg i nhad yn yr ystyr hwnnw. Pobl oedd yn credu yn y pŵer o'r diwylliant unigryw hwnnw sy'n ein huno.

Fel fy nhad, roedd Bobby ar ei hapusaf mewn llefydd bychan yng nghanol cynulleidfa werthfawrogol gynnes. Roedd e wedi perfformio wrth gwrs ar lwyfannau mawr fel Neuadd Albert, Carnegie a Madison Square Gardens gyda sêr fel Bob Dylan a Johnny Cash. Ond mewn llefydd bach fel O'Briens roedd e hapusaf. Yn ei ogoniant. Roedd hynny'n wir am y dafarn fwyaf ohonyn nhw i gyd – Tafarn Mooneys yn An Rinn – lle ry'n ni'n byw heddiw.

Mae Tafarn Mooneys wedi bod yn eiddo i deulu Roisin am chwe chenhedlaeth, a menywod cryf wastad wedi bod wrth y llyw. Mae gan fam Roisin, sef Moira, bum chwaer, a than yn ddiweddar un brawd. Mae'r menywod hyn yn enwog yn neddwyrain Iwerddon am eu cymeriadau unigryw ac afieithus. Pan ddaeth y Clancys i dafarn Mooneys, An Rinn, yn y chwedegau, dilynwyd hwy gan y Dubliners a'r Fureys. Trodd y dafarn yn un o'r canolfannau bywioca yn sîn gerddorol Iwerddon. Bob haf, byddai'r rhesi ceir yn ymestyn am gannoedd o lathenni a byddai bron yn amhosib mynd i mewn trwy'r drws o fis Ebrill tan yr hydref.

Perchennog y dafarn am flynyddoedd mawr oedd Anne Mooney, un o'r cymeriadau mwyaf a gwrddais erioed. Dynes yw Anne sydd ddim yn credu mewn meddwl cyn siarad. Mae bod yn ei chwmni fel bod yn dyst i lif yr ymwybod. Heb drio â bod yn ddoniol, mae'n dweud y pethau mwya ffraeth ar wyneb daear. Rwy'n cofio un tro pan wnaeth Mam a Dad ymweld â ni. Fe ddaeth Anne i'r tŷ i'w gweld. Nawr, i'r rheiny sy'n nabod Dad, maen nhw'n ymwybodol nad yw e'n un o'r dynion teneuaf! Mae'n ddyn sydd hefyd yn hoffi tynnu coes. Wel, ar y pryd, roedd ein merch hynaf, Lowri, newydd gynllunio poster hardd ar gyfer cyngerdd yn nhafarn Mooneys. Fedrai Dad ddim dal nôl wrth weld cyfle i dynnu coes Anne er mwyn disgwyl ymateb gwerth chweil. Dyma fe'n sôn wrthi mor hardd oedd poster ei wyres.

'You see Anne', mynte fe, 'Lowri gets her artistic talents from the Davies side of the family.'

Ac fel fflach dyma hi'n ateb,

'It's a good thing she didn't get her figure from the Davies side!'

Roedd dad yn ei ddwble. Mae An Rinn, tafarn Mooneys ac Anne yn ymgorffori'r pentref a'r fro. O'n tŷ ni, medrwn edrych dros fae naturiol Dungarvan a mynyddoedd llonydd y Comeragh. Gelwir y fro yn ardal y Déise. Daw'r enw, yn ddiddorol iawn, o'r bedwaredd ganrif pan ymfudodd llwyth y Déisi i lawr o Mayo. Yn ystod brwydr yn Tipperary, holltodd y llwyth yn ddau. Symudodd hanner y llwyth i'r ardal eang o gwmpas Swydd Waterford a'r hanner arall i ardal Dyfed yn ne-orllewin Cymru. Mae'n ddarn o hanes sy'n destun balchder i mi heddiw yn enwedig pan ddaw'r cyfle i mi dynnu coes ambell un yn An Rinn drwy fynnu nad ydw i'n ddyn dŵad wedi'r cyfan!

Mae'n ardal sy'n fy atgoffa i o fynyddoedd y Preseli ac ardal fy mhobl i. Yn rhyfedd iawn, rwy'n teimlo fod yna adleisiau tebyg yn rhythmau'r bobl, yn eu hiwmor a'u cân.

A dyna oedd yn bwysig yn fy nghalon wrth ysgrifennu 'The Deise Day'. Mae'n gân sy'n dychmygu dyn fel Bobby. Trwbadŵr sydd yn hen ond hefyd yn ifanc ei galon wrth iddo eistedd mewn cae ar lethrau tawel An Rinn. Mae'n gweld bryniau'r Comeragh a'r môr sy'n dianc drwy'r bwlch rhwng penrhyn Helvic a goleudy Ballynacourty. Mae ceg y bae yn agor y byd o'i flaen, byd o atgofion, o ganeuon, o adael a dychwelyd. Mae geiriau'r byd hwnnw yn pefrio'r foment, 'Go Lassie Go', 'John O'Dreams', 'The Wild Rover' a 'The Parting Glass'. Mae'r dyn yn mwynhau'r awel fwyn sy'n ei gyrraedd, a llyfnder y tirwedd tawel ar ôl cyflymer bywyd Greenwich Village ac Efrog Newydd. Mae'n sylweddoli'r ddeuoliaeth honno o ddau fyd ei fywyd.

Wrth ysgrifennu'r geiriau hyn, roeddwn innau'n meddwl am fy nau fyd innau. Dau gartref, y naill yng Nghymru a'r llall yn Iwerddon. Ond un galon. Pan recordiais i'r gân, roeddwn yn ffodus i gael ei pherfformio fel deuawd gyda fy mrawd yng nghyfraith talentog Finbarr Clancy, mab Bobby a brawd Roisin. Roedd hi'n deyrnged deilwng ar ôl i Bobby ein gadael: cael ei fab, sy'n ganwr arbennig ei hunan, i'w siario a'i chanu. Mae 'na ddau lais, ond un cymeriad.

6.

Craig Cwmtydu

Lle ma'r môr yn cwrdd â'r afon,
Lle mae gwaed yn gadael calon,
Lle mae'r dail yn cwrdd â'r brigyn,
Dyma'r man i ni gael cychwyn,

Lle mae bai yn cwrdd â'r madde,
Lle mae'r deigryn gwan yn dechre,
Pan ma'r diawl yn bod yn ffyddlon
Ma na liw'n y blode gwylltion,

Dyna lle wyt ti a mi,
Rhwng y brwyn yn sisial ganu,
Ond fel eiliad ar ei hynt,
Clywn yr alaw ar yr un gwynt,

Daeth yr awr i groesi'r moroedd,
Eiliad hir i bontio'r dyfroedd,
Daeth 'na ffordd i ni anghofio
A rhesymau i ni gofio

Ishe nerth i fynd drwy'r hen fyd,
Eisiau nerth o hyd ac o hyd,
Ond fel craig ar draeth Cwmtydu,
Straeon maith sydd oddi tani.

Dyna lle wyt ti a mi,
Rhwng y brwyn yn sisial ganu,
Ond fel eiliad ar ei hynt,
Clywn yr alaw ar yr un gwynt,

Clywn yr alaw ar yr un gwynt,
Clywn yr alaw ar yr un gwynt,

Clywn yr alaw ar yr un gwynt,
Clywn yr alaw ar yr un gwynt.

Cwmtydu

Tua blwyddyn neu ddwy yn ôl, wrth ystyried recordio albwm newydd, fe ddechreuais arbrofi gyda thiwnio'r gitâr yn 'drop D', lle mae'r tant gwaelod yn cwympo tôn o E i D. Ro'n i'n hoffi sut roedd pobl fel Paul Brady yn defnyddio ffyrdd agored o diwnio ac yn medru gosod melodïau i mewn yn nilyniant y cordiau. Pan oeddwn yn arbrofi gyda'r tiwnio newydd yma, wy'n cofio bod gartref yn Ffostrasol, yn eistedd yn y stafell gefn yn plycio ar linynnau'r gitâr gan chwarae rhyw batrwm bywiog o gwmpas cord D. Rhoddais y gitâr o'r neilltu a phenderfynu mynd am dro i Gwmtydu. Mae'r draethell fach yng nghesail creigiau Bae Ceredigion yn llecyn sy'n agos iawn at fy nghalon. Mae'n lle arbennig, gyda thraeth caregog sy'n cael ei gledro gan donnau gwyllt y gorllewin.

Pentre bach cuddiedig yw Cwmtydu ar lan afon fechan Ffynnonddewi sy'n llifo bron fel cyfrinach tu ôl i'r goedwig a'r rhewl fach yn y dyffryn cul rhwng Llangrannog a Cheinewydd. Dyma'r fro a wnaeth esgor ar nythaid o brydyddion teuluol, Beirdd y Cilie, a fagwyd yn y ffermdy o'r un enw. A'r hynaf ohonynt, Isfoel, wnaeth greu'r llinell fawr honno sy'n crisialu'r hyn yw Cwmtydu:

'Hen gwm pert ac important.'

Y diwrnod hwn, gyda'r cord D mwyaf yn troi'n alawol yn fy mhen, eisteddais ar y morglawdd o flaen yr hen odyn galch. Ac yn sŵn clebran yr afon fach ro'n i'n meddwl am y blynyddoedd gynt, y prynhawniau Sul hirion yn crwydro'r llwybrau gogleddol i frig y clogwyni gyda Mam a Tres. Cofio'r eithin blodeuog yn siglo yn yr awel gan gnoi ein pigyrnau blinedig. Roedd Cwmtydu yn gwm i ni. Mewn amseroedd da, mi fyddai'r teithiau bach yn y car yn llawn hiwmor a chlecs. Ac ar adegau tristach neu o golled, mi fyddai'r clogwyni fel cwilt i'n gwarchod rhag y byd. Pan oeddwn yn ddeunaw, cafodd Tres gyfnod o iselder ac roedd Cwmtydu yn lle inni gerdded, siarad a phylu miniogrwydd y salwch.

Roedd Tres wastad wedi bod yn chwaer hŷn ym mhob ystyr. Ei gwên ddireidus yn gysur ac yn galon i gyd. O'n i'n edrych lan ati fel brawd bach, er weithiau mi fyddai'n chwarae triciau cyfrwys arna'i. A minnau yn fy naïfrwydd yn cael fy rhwydo bob tro. Roedd hi'n artistig iawn ac yn hoff o gerddoriaeth y dydd. Hi wnaeth fy nghyflwyno i gerddoriaeth artistiaid fel Tracy Chapman a The Smiths. Un tro – a dyma enghraifft o'i direidi – roedd sengl yn y siartiau roedd pawb yn sôn amdani ar y pryd. 'Relax' gan Frankie Goes to Hollywood oedd hi. Roedd cryn dipyn o gwyno wedi bod yn y wasg am eiriau anweddus y gân, a chafodd ei gwahardd am gyfnod gan y BBC.

Un prynhawn yn Aberteifi, y tu allan i'r siop recordiau a finne'n ddeg oed, dyma Tres yn gosod dwybunt yn fy llaw gan ddweud,

'Cer mewn fanna a gofyn am record o'r enw "Relax".'

Dyma fi'n cerdded i mewn i'r siop yn gwbl anwybodus o'r ymateb diweddar i'r gân. I fyny â mi at y cownter a gofyn am y record. Roedd y perchennog yn edrych arna'i fel petai gen i ddau ben. Ond yn raddol, mewn modd lled anfodlon, dyma fe'n gosod y feinyl mewn bag papur brown, a mas â fi drwy'r drws. Roedd Tres yn hollti ei bol wrth i fi drosglwyddo'r bag a'i gynnwys gwerthfawr iddi. Dyma hi'n tynnu'r recordiad allan a dyna pryd y gwelais y clawr a'r dyn a menyw hanner noeth arno. Roedd ei chwerthin braf yn llawn o'i direidi a'i drygioni disglair. Wrth eistedd ar y wal ar y traeth y diwrnod hwnnw flynyddoedd wedyn, daeth ei gwên yn ôl i mi. Pan wellodd Tres, roedd dychwelyd i Gwmtydu yn felysach profiad. Fel cwrdd â hen ffrind, mae'r traeth bach hudolus hwn wedi bod yno i ni fel teulu gydol yr amser.

Wrth edrych ar y llethrau o'm cwmpas, dechreuais feddwl am y smyglwr enwog Siôn Cwilt yn straeon fy ieuenctid. Nofelau T. Llew Jones oedd fel sound tracks fy nyddiau yn Ysgol Capel Cynon. Dyma straeon oedd yn perthyn i ni a'r ardal. Roeddwn i wastad wedi hoffi'r ucheldir oedd yn codi uwchben fferm Wstrws heibio i Gapel Cynon, a'r ffaith ei fod yn cael ei alw'n Fanc Siôn Cwilt. Mae'r tir yn codi uwchben yn fil o droedfeddi, a phan ddaw'r gwynt o'r dwyrain yn y gaeaf, mae'n gyffredin i'r brif hewl gau dan luwchfeydd o'r eira powdraidd sy'n cael ei chwythu o'r caeau bras. Yn yr ysgol gynradd, yn sŵn geiriau *Dirgelwch yr Ogof* mi fyddwn i'n dychmygu Siôn Cwilt yn fy mhen fel un tebyg i fy Wncwl Elfed, yn cerdded o'i fwthyn drwy'r lluwchfeydd tuag at Gwmtydu i ddarganfod y brandi cynnes yn yr ogofâu. Rebel go iawn. Yn sŵn y môr wedyn byddwn yn meddwl am ambell i rebel arall, cymeriadau brith a'u geiriau yn gymysg â rhythm y tonnau rheolaidd yn treiddio i sain y cord yn fy mhen.

Am ryw reswm, dyma linell anfarwol Leonard Cohen o'r gân 'Anthem' yn corddi yn fy meddwl. 'There's a crack in everything, that's how the light gets in.' Y craciau ym muriau du'r clogwyni o fy mlaen a'r craciau sydd yn rhan o'n bywydau. A dyma yw'r gân sy'n esblygu yn fy mhen. Cân o ddeuoliaethau yw 'Craig Cwmtydu'. Cân am y mannau hynny lle mae gwerth bywyd yn bodoli; pyllau'r glo mân. Nid mewn perffeithrwydd ond yn yr amherffaith lle mae'r golau'n treiddio. Rhwng bai a maddeuant, rhwng deilen a brigyn, rhwng afon a môr. Wrth edrych fyny ar y wal garreg eto, daw geiriau rebel arall i fy mhen, yr anfarwol Eirwyn Pontsiân, wrth iddo adrodd geiriau Mynyddog:

> Mae eisiau nerth i fynd drwy'r byd,
> Mae eisiau nerth o hyd, o hyd,
> Mae'r oes yn llawn o riwie serth
> Ac ar bob rhiw, ma eisiau nerth.

Doeddwn i byth wedi dychmygu y byddai Leonard Cohen ac Eirwyn Pontsiân yn uno i lywio cân yn fy mhen! Ond roedd athroniaeth y ddau mewn cytgord gyda'r hyn o'n i'n deimlo ar draeth Cwmtydu'r diwrnod hwnnw. Mae eisiau nerth weithiau. Ond yn y craciau mae ogofâu o berlau'n bodoli i roi lliw ar ein bywydau.

Yn ôl yn 1997, cefais gyfle euraid i berfformio sioe un-dyn ar y cymeriad unigryw hwnnw, Eirwyn Pontsiân. Roedd Emyr Llew wedi ysgrifennu sgript gyfoethog, ac fe wnaeth Huw Emlyn ac Euros Lewis, Felinfach, gyfarwyddo a chynhyrchu. Unwaith erioed roeddwn wedi cwrdd â'r comedïwr hynod hwn, a hynny'n frysiog yn y siop yn Ffostrasol. Ac wy'n cofio'i weld yn cael ei gyfweld gan ei ffrind Lyn Ebenezer ar y teledu. Roedd yn ddychanwr crefftus a medrus oedd yn defnyddio technegau comedi oedd ymhell cyn ei amser. Wrth feddwl am y llu o gomedïwyr 'standyp' byd-enwog sy'n bodoli heddiw, a rheiny'n gefnog tu hwnt, mae'n atgyfnerthu mawredd y crefftwr bach hwn o ardal Siôn Cwilt. Saer cyffredin oedd yn torri tiroedd arloesol mewn comedi heb dderbyn unrhyw dâl am ei gelfyddyd.

Yr hyn o'n i'n ei edmygu fwyaf amdano oedd ei ddewrder yn ei ddefnydd o elfennau swreal yn plethu gyda dychan miniog, ond hynny gydag elfen gref o'r Cyfarwydd Cymraeg. Wy'n meddwl amdano ym mhantheon rheiny fel sêr Monty Python, Peter Cook a Spike Milligan. Yn ddiweddarach gwelsom ei ddylanwad ar gomediwyr iau, fel yr anfarwol Dewi Pws. Daw un o straeon mwyaf swreal Eirwyn i gof wrth feddwl amdano ar lwyfan. Byddai'n sefyll yno bron fel pyped tafleisiwr, ei siwt frethyn yn edrych yn rhy fawr, a'i fwstásh handlebar yn rhan annatod o'i ddelwedd fel mwstásh Charlie Chaplin. I gwblhau'r darlun, roedd ei osgo o gydio yn llabed ei got, fel ei fod ar yr un llaw yn ffug barchus ac ar yr un pryd yn dal ei ffrâm eiddil at ei gilydd. Mi fyddai'n cychwyn y stori gyda chyfuniad o chwerthiniad a griddfan drygionus:

'Mmmmhhhhhh!'

Hynny'n arwain at berlau fel hon:

'Wy'n cofio'r dyddie hynny pan o'n i'n gweithio yn Llanybydder. Ac rodd rhaid i fi godi'n gynnar cyn iddi wawrio er mwyn cael lifft gan lori'r fforestri ar dop yr hewl. Hynny yw, beth fydden i'n neud fyddai aros nes i'r lori stopio ar y gyffordd, a wedyn neidio ar ei chefn yn ddiarwybod i'r gyrrwr, chi'n gweld. Rhyw bethe bach felna. Mmmhhhhhhh! A wedyn, pan fyddai'r lori'n stopio ar y sgwâr yn Llanybydder, mi fyddwn i'n neidio mas yn nhywyllwch y bore bach. Ond, y bore hwn, bore oer a thywyll cofiwch, am ryw reswm fe ddaeth y lori i stop ar bont Llanybydder. A dyma fi'n neidio oddi ar ei chefn ac i mewn i'r afon. Ie, i mewn i'r afon Teifi. Mmmmhhhhh! I mewn a fi i'r llif a lawr i waelod gwely'r afon. Hynny yw, dyma fi'n dweud wrth fy hunan bach. "Eirwyn, ma'r diwedd wedi dod". Ond, fel wedes i, os fyddi di byth mewn trwbwl, trïa ddod mas 'no fe. Mmmhhhh! Hynny yw, o'n i lawr ar waelod gwely'r afon yn sownd wrth handyl bwced. A fe ddaeth rhyw nerth o rywle. Oes, ma ishe nerth i fynd drwy'r byd, ma ishe nerth o hyd, o hyd. Ma'r oes yn llawn o riwie serth ac ar bob rhiw, ma ishe nerth. Hynny yw, dyma fi'n nofio 'mlaen drwy'r llifogydd mawr, eithriadol. Ymlaen ac ymlaen nes i mi ddod at biben fawr. Piben fawr yng nghanol y dŵr, chi'n gweld, a dyma fi drwyddi. Ac yno y bues i yn cropian am filltiroedd. Hynny yw, milltiroedd maith tan i fi ddod mas. A chi'n gwybod ble ddes i mas? Mmmmhhhhh! Yn lafertri'r Cilgwyn, Castell Newydd Emlyn. Mmmhhhhh! A dyma fi'n edrych lan. A'r hyn a welwn i oedd wyneb mowr heb un trwyn. Ie, meddyliwch, wyneb mowr heb un trwyn. A dyma fi'n mentro cyfarch yr wyneb hwn gan ddweud, "Bore da!" Ac mewn iaith goeth y cefais yr ateb yn ôl. "Paaaaaarp!'"

Ie, sŵn torri gwynt oedd y 'Paaaaaarp!'.

Teithiais â sioe Eirwyn am rai misoedd mewn theatrau, neuaddau a thafarndai. Roedd hi'n dipyn o her. Yn gyntaf, roeddwn i'n chwarae cymeriad rhywun dipyn yn hŷn na fi, rhywun nad oedd yn byw mwyach, ond eto'n gymeriad oedd yn enwog ac yn gyfarwydd i'r gynulleidfa. Penderfynais yn gynnar yn y broses ymarfer y byddwn yn osgoi trio gwneud dynwarediad pur, gan ddefnyddio colur i'm heneiddio. Ond yn hytrach, canolbwyntio wnes i ar greu portread gonest, gyda symbolau cryf fel ei gap a'i fwstásh yn ganolog i greu ei siâp a'i hanfod.

Roeddwn yn dal yn fy ugeiniau, ac o ran steil a thôn, doeddwn i ddim eisiau creu sioe oedd yn pastiche. Serch hynny, fe wnes i wrando llawer ar hen dapiau prin o'i lais i fedru gweithio ar gael ei rythmau a'i oslef. Fe wnes i siarad â rhai oedd yn ei adnabod er mwyn cael tymheredd y dyn. Y golau a'r tywyll. Craciau Leonard Cohen. Dyma'r tro cyntaf i mi berfformio sioe fel hon am tuag awr ar fy mhen fy hun. Roedd hwn yn brofiad heriol. Wy'n cofio sefyll tu ôl i'r llwyfannau bach mewn llefydd fel Tafarn y Cŵps yn Aberystwyth a Glanyrafon yn Nhalgarreg yn crynu fel deilen. Dyma wir ddicotomi cynulleidfa Eirwyn. Y Cymry diwylliedig, rhai yn rhan o'r sîn mwy soffistigedig a rhai oedd yn nabod yr Eirwyn hwnnw oedd yn Eirwyn y rhewl a'r dafarn.

Roedd e'n brofiad ofnus ar adegau. Ond diolch fyth, cefais

ymateb arbennig. Does dim byd fel clywed sŵn chwerthin mewn cynulleidfa pan fyddwch ar eich pen eich hun. Roedd derbyn ymateb ffafriol gan y bobl oedd yn ei adnabod, yn ei edmygu a'i garu, yn hwb mawr i mi fel actor.

Yn ôl ar draeth Cwmtydu, ro'n i'n meddwl am Eirwyn a'r cymeriadau lu oedd yn byw yn y triongl lle roeddwn i'n eistedd i fyny dros Fanc Siôn Cwilt tuag at Dalgarreg a Phontsiân a nôl i Ffostrasol. Yr hiwmor a'r tynnu coes yn anorfod yn ein bywydau bob dydd. Fe symudon ni i Ffostrasol o Lechryd pan o'n i'n wyth mlwydd oed. Roeddem fel teulu wedi symud i fyw i'r siop a'r swyddfa bost ar ôl i Mam-gu a Dats ymddeol. Dyma ardal oedd rywfaint yn uwch na gwastatir yr afon, ac yn tueddu felly i gael mwy o eira.

Daeth hyn yn wir ym mis Ionawr 1982 pan ddaeth y gwynt o'r dwyrain â'r eira mân a mawr yn ei gôl. Roedd y lluwchfeydd yn llenwi'r hewlydd i fyny at dop y cloddie gan greu paradwys i blant y pentre am dros wythnos. Dim car yn symud, a ninnau'n chwarae o fore tan hwyrnos yng ngolau lleuad y nosweithiau clir a ddilynodd y storm. Rhedeg mewn yn ysbeidiol i'r tŷ i dwymo o flaen yr hen Rayburn a oedd wedi ei gorchuddio â llwythi o fenig a sgarffs gwlyb. Diferion ysbeidiol yr anwe yn tasgu a rowlio ar y plât haearn crasboeth a'r tebot bach yn cadw pawb i fynd drwy'r dydd. Wy'n cofio Mam yn sôn fod yr eira wedi llwyddo i dreiddio i lofftydd rhai pobl yn y pentref. A dyma fi a fy nghefnder Anthony – oedd yn aros gyda ni ar y pryd – yn cychwyn gwasanaeth o glirio'r llofftydd lleol. Fe wnaethon ni gychwyn gyda llofft Betty 'Next Door'. Ffrind mynwesol fy Mam oedd Betty, a fu farw rai blynyddoedd yn ôl, a'r wneuthurwraig teisen *sponge* orau'n y byd. Roedden ni'n dau yn ymwybodol o'r addewid o gacen wrth rawio'r talpiau gwyn rhewllyd yn frwdfrydig yn ei llofft: yr eira mân oedd yn gelfydd fel cerflunydd, wedi llunio tonnau bach ar ôl treiddio trwy'r craciau lleiaf yn y llechi. Dyma'r craciau eto roedd yr hen Leonard Cohen yn sôn amdanynt. Y craciau sy'n taflu golau ar fywyd a straeon.

Trodd ein gorchwyl ar ôl y wobr o *sponge* Betty at drigolion eraill y pentref. Ac o fewn amser roedd ein gwasanaeth hefyd yn cynnwys tywys bwyd o'r siop ar sled fach dros y lluwchfeydd i ambell i berson hŷn oedd heb dorth o fara neu beint o laeth. Pobl fel Rachel Rock, hen ddynes sionc oedd mor iach â chneuen. Dynes oedd hefyd ag ateb neu sylw cyflym a doniol mewn unrhyw sefyllfa. Wy'n ei chofio hi un tro yn dod i'r siop pan oedd Dad wedi tyfu barf.

'Siafwch yr hen flewiach na ddyn!' medde hi yn ei llais awdurdodol dros chwerthiniad fy nhad. Ar ôl y gaeaf, fe wnaeth Dad eillio'r blewiach a phan ddaeth Rachel i'r siop, doedd e ddim am golli'r cyfle i dynnu coes.

'Beth y' chi'n feddwl o hyn Rachel? Ma'r barf wedi mynd!'

A hithau'n ateb, 'Ond ma'r bola'n dal 'na!'

Ymateb mor finiog a sydyn â'r rasel oedd wedi eillio'r blew. Roedd eira mawr 1982 yn ddigwyddiad a wnaeth uno'r pentref. Sgyrsiau yn y drysau, rheiny rhwng y lluwchfeydd, rhwng dydd a nos a'r gwynt oer yn chwythu'r geiriau yn gymysg â'r ffluwchiau gwyn. Ie, yn y bylchau mae bywyd, 'Where the light gets in', chwedl Cohen. Bywyd felly yw bywyd Ffostrasol. Pobl fel Len Ffish yn galw, a fe a Dad yn tynnu coes yn ddi-stop. Betty'n galw â'i sponge. Pobl, geiriau, chwerthin.

Byddai cymeriadau'r pentref yn uno hefyd yn ystod Gŵyl y Cnapan. Pawb yn helpu yn y trefniadau, a neb yn fwy na Dai Erwlon, neu Dai Nymbyr Ffôr y gwnes i gyfeirio ato eisoes. Roedd Dai yn un o Fois Ffostrasol, criw a ddaeth yn enwog yn y 70au drwy Gymru ben baladr am fod yn ffans mwyaf brwdfrydig Edward H. Dafis. Symbol o'u cefnogaeth i'r band a'r sin roc oedd yr hen ambiwlans fyddai'n eu cludo o gig i gig. Nid carafán neu camper van ond ambiwlans. Dai, a oedd yn saer coed, fyddai'n adeiladu llwyfan y Cnapan bob blwyddyn. Dyddie o waith llafurus cyn i'r babell fawr gyrraedd. Roedd Dai yn Gymro i'r carn, wrth gwrs. A phob blwyddyn ar ôl gorffen codi'r llwyfan ac wrth i blisgyn y pafiliwn mawr ddechrau ymestyn i'r awyr las, byddai Dai ar ei ffordd i'r dafarn i wlychu ei big yn haeddiannol.

Un tro dyma ddau dderyn yn y pentref yn gweld cyfle i gymryd mantais o'r sefyllfa. Cyfle i dynnu coes. Wrth i'r gweithwyr godi'r to ar y babell, dyma Gwilym Brodawel yn cael gafael ar fflag fawr Jac yr Undeb a gofyn i un o'r bois ei chlymu ar bigyn ucha'r tent. Yn ymwybodol nad oedd Dai'n ystyried ei hun fel Prydeiniwr o gwbwl, dyma'r deryn arall – Aneurin Arosfa – yn camu'n gyfrwys i'r dafarn i ddweud wrth Dai am edrych drwy'r ffenest ar y fflag roedd bois y babell wedi ei chodi a'i chwifio'n bryfoclyd dros y pentref. Eiliad oedd rhwng peint Dai yn glanio'n glep ar y bar a'r drws yn cau ar ei ôl wrth iddo garlamu ar draws y sgwâr. Erbyn iddo gyrraedd y babell, roedd ganddo ysgol hir o dan ei gesail. Ac i fyny ag e! I fyny'r babell a'r to fel mynyddwr oedd yn cyrchu at gopa uchel am y tro cyntaf nes iddo gyrraedd y fflag fawr. Yna, gydag amseriad fel un o straeon Pontsiân, ac wrth iddo gydio yn y cynfas lliwgar, dyma Gwilym ac Aneurin yn barod gyda chamera i dynnu llun o'r digwyddiad mawr. Yr wythnos ganlynol, roedd y llun ym mhapur bro *Y Gambo* a'r pennawd yn datgan fod Dai yn codi fflag Jac yr Undeb uwchben y babell fawr!

Wrth i'r tonnau dorri ar y creigiau yng Nghwmtydu, roeddwn yn chwerthin wrthyf fy hun wrth gofio'r stori. Ond yna'r wên yn pylu wrth gofio am Dai, un o'r hoelion wyth a fu farw yn 2011. Dai, Eirwyn, Dad, Mam, Tres, Emyr, Eiris, Betty, Len, Rachel Rock. Eu geiriau'n taro mor gyson â sŵn y tonnau ar y creigiau o fy mlaen. Eu geiriau'n treiddio i'r galon, yn disgyn yn dyner wedyn fel yr eira mân hwnnw yn '82. Wrth feddwl nôl, mae Cwmtydu a'r graig o atgofion sydd yn ei amgylchynu fel llecyn atgofion. Man lle mae dyddiau Ffostrasol yn crynhoi fel mewn cored o ddelweddau a geiriau. Mae mynd nôl yno yn agor ffos o atgofion. Fel afon Ffynnonddewi'n cwrdd â Môr Iwerydd, roeddwn innau hefyd yn cwrdd â'm hatgofion. Wrth yrru nôl i Ffostrasol, roedd yr atgofion hynny'n chwyrlïo gyda'r melodïau chwim o amgylch y cord D fwyaf. Cyrhaeddais Ddawns y Dail, tŷ Mam a Dad, a'i chwblhau.

7.
Last of the Old Men

Cariad, I'm a reader of the road,
I'm always walking.
I flip through pages, passages of time,
See where they're leading,
My heart is like a ticket on a train,
Now that's some living,
And my head is like a half re-wired house,
Now that's some thinking.

Cariad, I'm a saviour of the world
In my own kitchen,
I feel the wine as it fortifies my soul
And all my bitchin',
I seek out all the revellers of old
To know their thinking,
Their battles and their bleeding for the cause
And all their drinking.

And I'll search all the corridors of time
For the one who walks and talks the ancient line,
For the holder of the reason and the rhyme,
The last of the old men,
The last of the old men,

He might be fighting on the streets tonight,
He might be crying,
He might be singing hymns on a long haul flight,
He might be dying,
He might be throwing bricks at a lonely moon,
He might be laughing,
And then again that he might just be she,
Know what I'm sayin'?

And I'll search all the corridors of time
For the one who walks and talks the ancient line,
For the holder of the reason and the rhyme,
The last of the old men,
The last of the old men.

Ie, y fi yw hwnnw ... (yn Barcelona)

Yn aml yn fy nghaneuon, rwy'n chwilio. Yn chwilio am ryw ystyr mewnol efallai. Yn chwilio am y bachgen yn y dyn, am lonyddwch traeth Cwmtydu, am fyd neu gartre arall. Wy'n ymwybodol weithiau nad yw fy llwybrau'n gonfensiynol. Weithiau maent yn garegog, yn anodd; weithiau'n gynnes ac yn brydferth. Dydw'i ddim yn bwrpasol yn creu'r llwybrau hyn ond maen nhw yno o hyd.

Mae ysgrifennu caneuon wastad wedi bod yn broses bersonol sydd ddim o reidrwydd ar gyfer clustiau eraill. J. D. Salinger ddywedodd fod cyhoeddi yn gallu bod yn 'terrible invasion of privacy', a 'wy i raddau yn cyd-fynd â hyn. Nid oherwydd anfodlonrwydd yn y syniad o rannu ond y sylweddoliad fod ysgrifennu weithiau'n hunanol. Rhyw orchest fach gathartig i ddadlennu'r holl gawlach sy yn fy mhen! Duw a ŵyr os yw'r gorchestion hyn yn mynd i esgor ar rywbeth a fydd o ddiddordeb i eraill. Ond ers i fi fod yn fachgen mae rhywbeth wedi fy nghymell i eistedd wrth biano neu ddal gitâr a chreu. Mae'r teithiau hyn yn aml yn dadlennu darnau ohonof, nid o reidrwydd yn gyflawn, ond yn fflachiadau o fywyd.

Pan oeddwn yn ffilmio *Fondue, Rhyw a Deinasors* yn 2002, wy'n cofio eistedd mewn car ar ddiwrnod llwyd, glawog yn Llanfynydd gyda Richard Harrington, oedd yn actio yn yr un gyfres. Roedd hi'n fore Llun yn dilyn rhyw benwythnos o ddathlu. Penwythnos rygbi rhyngwladol rwy'n credu. Ta beth, roedd y ddau ohonom yn teimlo'n eitha truenus. A dyma fi'n chwarae CD o gerddoriaeth gwerin hen gewri fel Luke Kelly, y Clancys, y Dubliners a'r Fureys. Ar ôl rhyw hanner awr ac yng nghanol Finbar Furey'n canu 'The Green Fields of France' dyma Rich yn troi ata'i. Mae gan Richard y grefft ieithyddol o droi o'r Gymraeg i'r Saesneg a nôl fel petai'n iaith unigryw dafodieithol i Ferthyr. Yng nghanol y glaw a 'Willie McBride' dyma fe'n dweud,

'Ti'n gwybod beth wyt ti? You're the last of the old men.'

Es i adre i'r Barri ar ôl ffilmio, ac ysgrifennu'r gân. Cydiais mewn tenor banjo gan feddwl am y gosodiad neu'r cyhuddiad o fod yn 'last of the old men'. Dyna pam, efallai, y cydiais yn y banjo a chychwyn pigo cordiau G a D yn arddull Woody Guthrie neu Bob Dylan. Pam oedd gen i ddiddordeb yn yr 'hen'? Wy'n cofio'n grwt mwynhau cwmni'r hen fois fel Tommy'r Post a'i gi mawr du, Ranger, yn Llechryd. Ro'n i hefyd wastad yn helpu'r Parchedig Tom Tomos yng ngerddi'r Tabernacl, hynny yn gymysgedd o frwdfrydedd ac ofn pan fyddwn yn helpu i gasglu'r mêl o'r cychod gwenyn wrth y muriau sinc. Gymaint oedd y brwdfrydedd, fel i fi un noson mewn gwasanaeth cymun mawr yn y capel dorri ar draws pregeth ddirdynnol Tom Tomos gan ofyn, er mawr embaras i Mam:

'Ydy'r gwenyn yn cysgu Mr Tomos?'

Rhaid bod y diddordeb hwn wedi parhau gan iddo fod yn destun sbort ymhlith fy nghyfeillion ym Mhrifysgol Caerdydd. Yn aml byddwn yn mynychu'r hen dafarndai fel yr Old Arcade. A byddai Ioan Jones, Prys Davies neu Chris Owen wastad yn ebychu,

'Watshwch mas bois! Wnawn ni golli Ryland i'r hen fois nawr!'

Y gwir yw, roeddwn yn mwynhau eu doethineb di-luddiant, eu straeon lliwgar a'r argraff nad oeddent yn becso taten am ddim byd! Am wn i, mae 'Last of the Old Men' yn gân sy'n archwilio perfedd fy mod! Wy erioed wedi dwli ar hen gantorion. Pan oedd Luke Kelly'n canu 'Raglan Road', byddwn yn dychmygu geiriau Patrick Kavanagh yn cael eu canu am y tro cyntaf mewn stafell fyglyd. Arogl wisgi yn sur-felys ynghanol tawelwch y dorf, a'r llais crafog pwerus yn llinyn cyswllt rhwng emosiwn hen a newydd.

Wy erioed wedi mwynhau'r artist unigol, y Trwbadŵr yn rhannu ei stori. Johnny Cash, Willie Nelson, Joni Mitchell, Bob Dylan, Meic Stevens, Dafydd Iwan. Cantorion sy'n rhannu llwch eu taith mewn ffordd amrwd. Y rhewl, un llais a gitâr. Bobby Clancy mewn tafarn anghysbell yn hudo'r nos. Neu Eirwyn Pontsiân yn anweledig bron y tu ôl i furiau caregog trwchus tafarn Glanyrafon. Yr artistiaid hynny sy'n creu eu diwylliant eu hunain. Y counter culture sy'n datgelu'r gwirionedd hwnnw nas ceir mewn llyfrau hanes neu mewn diwylliant confensiynol. Wy'n ymwybodol erbyn heddiw fy mod wedi bod yn cwrso'r elfennau hyn erioed. Y rhamant yn y diwylliant coll, Iwerddon, Tír na nÓg, America, 'Dust Bowl' byd Woody Guthrie a rhewlydd cul gorllewin Cymru. Rhewlydd coll y porthmyn drwy Lanymddyfri a Thregaron. Rhewl fy nghalon. Yn y rhamant hwn, wrth gwrs, mae ffuglen. Wy'n cofio ar ôl darllen *On the Road* Jack Kerouac fod cymeriad Sal Paradise yn chwenychu elfen ryddwyllt Dean Moriarty. Y gŵr nad oedd yn perthyn rywsut i hil neu ddosbarth a'u cadwyni annatod cysylltiedig. Yn hytrach, gŵr oedd yn byw ar y rhewlydd di-ben-draw yn America ac yn amsugno pob profiad hyd yr eithaf. 'Cilcyn o ddaear ar fap' yw Cymru yng nghyd-destun America, wrth gwrs, ond rhamant yw'r Dust Bowl yn yr un ffordd â Thír na nÓg. Y teimlad ein bod efallai ar rhewl wahanol. Diwylliant gwahanol. Weithiau mae'n rhaid dianc o glyw'r lleisiau bondigrybwyll a hitio'r rhewl, boed hynny'n llythrennol neu yn ein calonnau.

Dw'i ddim erioed wedi gallu bod yn cŵl. Mi drïais am gyfnod yn y chweched dosbarth yn Ysgol Dyffryn Teifi. O'n i'n gwrando ar dipyn o gerddoriaeth fel y Pixies, The Smiths, The Cure ac eraill. Ond roedd elfennau ohona'i nad oedd yn perthyn. Dw'i byth wedi gallu bod yn 'grefyddol' am unrhyw beth. Wy wastad wedi hoffi caneuon yn hytrach nag albwms cyfan. Wy'n hoffi'r artist, beth bynnag yw'r genre, yn hytrach na delwedd gyffredinol. Mae ein dyled i'r Beatles yn enfawr. Ond rwy law yn llaw hefyd yn ategu sentiment Christy Moore fod y Clancys yn Beatles ei genhedlaeth ef.

A dyna lle mae'r glo mân yn dod mewn i mi. Wy'n teimlo fy mod i'n perthyn i Gymru sydd y tu allan i bafiliwn y Steddfod efallai, y Cymry sydd ddim o reidrwydd yn mynd i'r Steddfod. Cymru'r 'Dust Bowl' Tir-na-nogaidd! Mewn ffordd, wy'n gweld fy hun fel pioden. Wy'n dilyn yr hyn sydd o ddiddordeb greddfol i mi. Cân, ffilm, cerdd. Efallai fod hyn yn anfantais wrth geisio creu gyrfa gytbwys. Ond dyna i mi yw celfyddyd. I'r bioden, fe all botwm neu ddarn o wydr fod mor werthfawr ag arian. I mi gall stori dda mewn tafarn fod yn bum munud fydd yn aros fel darlun prydferth. Mae pobl yn aml yn gofyn beth sydd well gen i, actio neu gerddoriaeth? Ond i mi does dim gwahaniaeth. Cefais fy nghodi mewn diwylliant lle mae'r gair a'r gân yn un. Wy wedi dilyn gyrfa lle mae hyn hefyd yn wir.

Yn y cymysgedd hunaniaeth hwn mae fy nhaith. Dw'i ddim wastad yn gwybod i ble mae'r rhewl yn arwain. Ac weithiau, er bod dewis y rhewl yn gallu bod yn benderfyniad byrbwyll, wy'n teimlo weithiau ddyhead cryf i ddilyn ei chŵys. Weithiau mae hyn yn creu gwrthddweud neu ddeuoliaethau yn fy safbwyntiau. Wy'n cofio Liam Clancy yn sôn unwaith ei fod ef yn Greenwich Village y 60au yn dianc o'i draddodiad. Gwrthddweud mawr i ganwr gwerin oedd yn defnyddio caneuon traddodiadol. Ond ym mêr ei ddatganiad, mae 'na wirionedd. Bod rhaid inni ail-greu yr hyn ydyn ni, a hynny'n barhaol. Efallai iddi fod yn rhaid i'r Clancys ailddiffinio diwylliant gwerin Iwerddon yn America, ym mhair berw gwyllt a rhyddfrydol Greenwich Village, yn hytrach na gartre. Yno, efallai, roedd yna ryddid i wneud beth bynnag a fynnent, yn rhydd o reolau a hualau traddodiad. Am wn i, mae hyn yn wir amdana i. Ers dyddie'r Cnapan, wy wastad wedi breuddwydio am Gymru yng nghyd-destun y byd yn hytrach nag o fewn fframwaith Prydeinig gyda goroesiad ffiniau diwylliannol annatod. Mae hyn yn esbonio fy niddordeb mewn canu gwerin, y diwylliant 'arall' hwnnw. Dyma lle mae'r gwrthddweud yn codi ei ben.

Pan oeddwn yn ifanc, roeddwn yng nghanol cyfnod euraid y sîn roc yng Nghymru. Gigs ym mhob man gyda grwpiau arloesol fel Tynal Tywyll, Jess, Ffa Coffi Pawb a'r Cyrff yn teyrnasu. Roedd y sîn Indie yn fyd-eang wedi cyrraedd ar ôl marwolaeth Punk. Ac er fy mod yn mwynhau yn yr amrywiaeth anhygoel oedd yn bodoli yn fy arddegau, roedd rhywbeth ar goll hefyd. Weithiau roedd yr holl beth yn teimlo'n ganol y ffordd i mi. Er mor dda oedd cerddoriaeth grwpiau gwych fy ieuenctid, weithie ro'n i'n teimlo'n bell oddi wrth Luke Kelly a Woody Guthrie. Mae 'na rithiau amlwg yn fy mhortreadau o ddiwylliant, wrth gwrs! Gwn fod smoke and mirrors i'w canfod ym mhob math o gelfyddyd. Dydy Dean Moriarty ddim yn dduw i bob crwydryn aflonydd y byd. Ond mae 'na rywbeth yn ei ddiwylliant gwerin sy'n apelio. Efallai fy mod wedi'r cyfan yn rhyw fath o Sal Paradise dosbarth canol arall sydd ddim ond yn chwenychu dewrder y cymeriad amrwd hwnnw. Ond eto, fel y dywedodd Rich, efallai fy mod yn wir yn 'the last of the old men'.

Wy hefyd yn teimlo hyn am ffurf caneuon. Wrth ysgrifennu, wy'n gwybod yn fy mhen y dylwn ddilyn ffurfiau confensiynol cryf y gân dair munud: rhagarweiniad cryno, bachyn da, pennill, pont, cytgan gref. Ond yn fy nghalon wy'n teimlo fod rhaid imi ddilyn hynt fy ngwir ddylanwadau. Caneuon gwerin sydd weithiau heb gytgan, neu ganeuon sydd dipyn hirach na thair munud. Mae'r gân dair munud wedi'r cyfan wedi ei chynllunio ar gyfer rhoi amser i hysbysebion ar y radio. Dyma elfen sydd yn groes i'r graen i straeon y rhewl, neu straeon y ffordd fawr. Mae'r diwylliant cyfryngol hwn yn ymestyn fwyfwy i'n diwylliant bob dydd. Fe ddywedodd Noam Chomsky unwaith ei fod e'n credu nad oedd yn cael ei wahodd ar deledu am nad oedd yn rhoi atebion digon byr. Dw'i ddim yn argymell troi'r cloc yn ôl. Mae'r byd cerddorol yn fwy amrywiol nag y bu erioed. Ond wy'n gwbl agored i newid a gwthio ffiniau'r hyn yr ydym yn ei ddeall mewn unrhyw gyfnod. Roedd canu Sean-nós yn nhraddodiad Iwerddon yn parhau yn hynod am ei arddull digyfeiliant trwynol a'i benillion di-ri gan ymdebygu i ryw fath o newyddiaduriaeth y dydd. Does dim rhaid ail-greu hyn, wrth gwrs, yn enwedig yn hwyr y nos. Ond mae 'na neges bwysig yn hyn oll. Mae 'na wastad le i'r ffurf fydd yn newydd yn ein caneuon. Mae hyn hefyd yn wir o fewn ein diwylliant gwerin. Mae tueddiad weithiau o fewn unrhyw draddodiad i fod yn or-ofalus a cheidwadol yn yr ymdriniaeth o gân neu ddarn o gerddoriaeth. Nid cwpwrdd arddangos gwydr yw traddodiad ond yn hytrach mae'n faes i blygu, ymestyn neu arbrofi fel ei fod yn draddodiad sy'n esblygol.

Wy'n cofio unwaith cyfweld â Catrin Finch oedd yn perfformio gyda'r cerddor Seckou Keita o Senegal yng ngŵyl y Festival Interceltique yn Lorient, Llydaw. Ar ôl clywed darn oedd yn gyfuniad o arddulliau cerddorol y ddwy delyn dyma fi'n ceisio bod yn glyfar a gofyn a oeddwn i'n gywir wrth feddwl fod ambell i alaw Gymraeg yn y darn yn fwriadol? Fe wnaeth Catrin ateb fod yr hyn roedden nhw wedi ei greu wedi esblygu'n naturiol rhyngddynt. Hynny yw, roedd e'r hyn oedd e. Roedd hyn yn ddigon i mi.

Wrth i'r geiriau 'Last of the Old Men' droi yn fy mhen yn y Barri, roedd y broses o'i hysgrifennu yn deillio o'r cwestiwn sy'n codi o'r fath osodiad. Dadansoddi beth oedd y tu ôl i eiriau Richard Harrington. A oedd hyn yn golygu fy mod i'n ddyn ifanc hen-ffasiwn llwydaidd oedd yn canu â bys yn fy nghlust? Dyn ifanc oedd yn parablu am hen gymeriadau yn Nhafarn y Rhos? Neu oedd yna rinwedd yn rhamant y Trwbadŵr? Yn y llais unig ar y paith? Chwerthiniais wrthyf fy hun wrth eistedd yn yr ardd yn y Barri, fy manjo yn fy nghôl, gan ystyried yr holl ddwli oedd yn fy mhen, y dryswch, yr angerdd, y dicter yn llifo fel afon o syniadau. Chwerthiniais yn uwch pan ymddangosodd pen fy nghymydog dros y wal yn holi beth o'n i'n ei wneud? Finne'n eistedd ar y lawnt yn meddwl am Bob Dylan, y byd a'r ffaith fy mod i yn y Barri â banjo yn fy llaw.

Dyna'r gân yn ei chrynswth. Rhyw ochenaid hunan-ddychanol o'r hyn oeddwn i ar y pryd. Banjo yn gyfeiliant oherwydd Guthrie a Dylan, a'r angen am sain amrwd 'Dust Bowl' raeanllyd. Arddull wladaidd/gwerin fel Trwbadŵr hen-ffasiwn a'r ffaith 'mod i mewn tref yn nwyrain Cymru yn taflu digon o eironi i mewn i'r darlun. Sawl canwr yn y byd oedd eisiau bod yn Bob Dylan ers i hwnnw ymddangos fel taran yn y 60au? Sawl ysgrifennwr anturus ifanc oedd eisiau teithio Route 66 fel Jack Kerouac a Dean Moriarty? Sawl un fel fi oedd yn creu byd canol America tra'n byw mewn lle o'r enw Awelfor ar stryd o'r enw Romilly Avenue? Roedd yn rhaid chwerthin.

Yn ystod fy ngyrfa, ac yn enwedig wrth ysgrifennu 'The Last of the Old Men', cefais fy nylanwadu gymaint gan yr hyn oedd yn esblygu yn y bioden ynof. Ond hefyd, roedd fy myd yn llawn o gymeriadau mawr lliwgar. Actorion fel Rich. Neu fy hen ffrind Julian Lewis Jones. Actor o fri ond hefyd dyn oedd yn gallu creu straeon difyr allan o unrhyw sefyllfa bob dydd fel ffrind agos arall, Meilyr Siôn. Pan fydd y rheiny yn fy nghwmni, does dim dal pa ddynwared neu ddwli all ddigwydd. Mae fy ngwraig Roisin hefyd yn gymeriad mawr, a'r ddynwaredwraig orau a gwrddais erioed fel y mae ei theulu oll. Mae ei brawd Finbarr, er enghraifft, yn ddiamheuol yn medru dynwared Christopher Walken yn well na neb.

Yn yr un cyfnod, roeddwn i hefyd yn gweithio gyda chyfarwyddwyr oedd yn gymeriadau creadigol, rhai a fyddai'n dod yn rhan annatod o unrhyw waith roeddwn i'n rhan ohono. Pobl fel Tim Lyn ac Ed Thomas. Wy'n credu fod bod yn y ddrama *Stone City Blue* gyda Richard Harrington, Alys Thomas a Nia Roberts wedi dylanwadu ar y gân. Roeddwn i'n chwarae'r un cymeriad oedd yn dioddef yng nghythrwfl bodolaeth, a hynny yn llif iaith gyhyrog Ed. Wy'n sylweddoli nawr fod tamaid bach o gymeriad y ddrama yn y gân. A Johnny Cash efallai. Neu, wedi meddwl, yr holl gymeriadau hynny yn fy mywyd oedd ag ysbryd y Trwbadŵr. Dynion a menywod cryfion sy'n ormod i'w rhestru ond sy'n rhedeg gyda'i gilydd ar faes di-ben-draw gan daranu eu straeon i'r byd heb golli cam.

Ar ôl gorffen yr albwm o'r un teitl, cafodd modryb Roisin, Brid Mooney yn Iwerddon, syniad arbennig am fideo i gyd-fynd â'r gân. Beth am ofyn i'r artist Michael Mulcahy fod yn brif gymeriad ynddo? Mae Mick yn un o artistiaid expressionist enwog Iwerddon, ond yn anad dim yn gymeriad mawr lliwgar, yn ddelfrydol i fod yn 'Last of the Old Men'. Dydy Mick ddim yn dilyn confensiwn ac yn sicr ddim yn ei wisg sydd fel arfer yn gampwaith unigryw artistig. Un prynhawn yn Dungarvan, dyma fi, Roisin a'r merched yn ei gyfarfod wrth ymyl siop Dunnes Stores. Roedd yn baent o'i gorun i'w sawdl ac yn cario cerflun bychan o Bwda yn ei law. Dyma fe'n dod draw atom ac yn troi at y merched gan gyfeirio at y cerflun.

'Do you see him?' gofynnodd. 'He'll stick by you through thick and thin...And another thing...He plays the tin whistle!' Dyma fe felly. 'Last of the Old Men' y fideo. Fe wnaeth gytuno, ac fe wnaethom ffilmio diwrnod ohono o amgylch tafarn Mooneys yn An Rinn. Mae'r prosiect yn dal yn 'work in progress' ond hyderaf y caiff ei gyhoeddi yn fuan.

Ysgrifennais y gân yn Saesneg gan fy mod yn ceisio ymestyn fy nghynulleidfa ar y pryd. Ond hefyd mae'n gân sydd rhywfodd yn perthyn i'r byd. Roedd hi'n gân gafodd ei chwarae dipyn yn Iwerddon ac fe ddewiswyd yr albwm yn Albwm y Mis yng nghylchgrawn *Hot Press*. Mae ysgrifennu yn Saesneg yn broses wahanol i mi. O ran bod yn ymarferol, mae'n rheidrwydd arna'i ysgrifennu yn Saesneg. Yn anffodus mae'r posibilrwydd o ennill arian drwy recordio yn y Gymraeg yn unig yn pylu. Wy'n dal yn cyhoeddi yn Gymraeg gan fod hynny'n bwysig i mi. Yn ail natur, mor naturiol ag anadlu. Ond gobeithio y daw dydd lle bydd y gymdeithas gelfyddydol yng Nghymru yn gweld yr angen i ategu a chefnogi'r sîn gerddorol Gymraeg. Gyda thalent cerddorion Cymraeg mor ffyniannus, mae angen dyfeisio modd i gefnogi'r diwydiant sy'n rhan mor bwysig o ffabrig Cymreictod.

Mae ysgrifennu yn Saesneg i mi yn tynnu rhywbeth gwahanol allan ohonof. Fel ysgrifennu dan enw ffug. Mae'n fy ngalluogi i fod yn rhywun arall sy'n gallu bod yn rhan ddiddorol o broses greadigol. Pan wy'n ysgrifennu yn Gymraeg, mae gen i fag o hanes ac emosiynau gyda mi, lle rywfodd pan wy'n ysgrifennu yn Saesneg, mae'n llechen gwbl wahanol.

Efallai na fedrwn i fod wedi ysgrifennu 'Last of the Old Men' yn Gymraeg, mwy na fedrwn i fod wedi ysgrifennu 'Rhannu Cof' yn Saesneg. Heb amheuaeth, ni fyddai gen i ddiddordeb mewn cyfieithu honno. Mae'n rhy sownd yn y pridd yng ngorllewin Cymru. Efallai mai dyna yw cryfder iaith. Ein perthynas ddiamheuol â phwy ydyn ni, ein goslef, ein rhythm. Ond ar y llaw arall, gall iaith wahanol fod yn fodd o arbrofi yn y byd arall sydd hefyd yn rhan anorfod ohonom.

8.
Brethyn Gwlân (Brethyn Cartre)
(Traddodiadol)

Chwi sy'n cofio f'ewyrth Dafydd,
Patriarch y Felindre,
Chwi sy'n cofio'n burion hefyd
Am ei frethyn cartre,
Aeth ei got yn hen heb golli
Dim o'i graen,
Roedd yn llwyd pan gaeth ei phrynu.
Brethyn Gwlân y defaid mân.
Dyna fel y gwisgai'r oes o'r blân.

Felly elai mas i garu
Yn ei frethyn cartre,
Ac ar ddwarnod ei briodi
Gyda Neli'r Hendre
I ffair Glame â'r gymanfa'n ddiwahân,
'Run hen wisg a'r un hen grefydd,
Brethyn Gwlân y defaid mân,
Dyna fel y gwisgai'r oes o'r blân.

Gwisg o liain wen a derw
Sydd amdano heno,
Ac mae'r awel yn yr ywen,
Dano hon mae'n huno,
Ond mae'r defaid eto'n pori
Yng ngwlad y gân,
Ac mae arnynt wlân yn tyfu,
Brethyn Gwlân y defaid mân
Dyna fel y gwisgai'r oes o'r blân.
Brethyn Gwlân y defaid mân
Dyna fel y gwisgai'r oes o'r blân.

Ffatri wlân, Drefach Felindre

Dyma gân o'm plentyndod ac o enaid Cymru wledig fy nghof. Cân rwy'n ei chofio'n cael ei chanu gan gôr bechgyn Clwb Gwerin Elfed Lewys yn Ffostrasol ac yn nathliadau gorfoleddus dyddiau gemau rygbi rhyngwladol fy nglaslencyndod. Cafodd y gân fywyd newydd pan symudais i fyw i Ddulyn nôl yn 1997; hynny oherwydd tafarn fach o'r enw Murray's Bar yn Bow Lane West yng nghysgod Carchar Kilmainham, man a fu mor ganolog yng Ngwrthryfel y Pasg 1916.

Ar ôl cwrdd â Roisin yng Ngŵyl Ddrama Dulyn yn 1996, cawsom gorwynt o flwyddyn o groesi Môr Iwerddon yn rheolaidd i weld ein gilydd. Dyma'r cyfnod cyffrous hwnnw o gariad cyntaf yn gymysg ag arlliw o fordeithio, o gerdd a chân, o Guinness a Craic. Ar y pryd, roeddwn i'n byw yn Llanbadarn ger Aberystwyth tra'n gweithio gyda chwmni Theatr Arad Goch. Rown i'n rhannu fflat gyda fy ffrind, yr actor Gwion Huw. Perchnogion yr adeilad oedd teulu fy ffrindiau, Ifan a Gwern Evans, Tregaron ac roedd Ifan yn byw ar y llawr gwaelod. Ar y llawr gwaelod hefyd roedd Marc Elis Jones, chwaraewr bodhran arbennig ac aelod o'r grŵp a ffurfiwyd yn y Cŵps o'r enw Hergwd gyda Siân Meirion Jones, ein ffrindiau Marian, Iwan ac Annette a finne. Byddem yn cyfeirio at y tŷ yn Llanbadarn fel 'y bocs sgidie' oherwydd siâp yr adeilad. Bu'r lle'n gartref i amseroedd da iawn, amseroedd oedd yn amrywio o ran lleoliadau rhwng y bocs sgidie, y theatr, a thafarn y Llew Du o dan ofal yr anfarwol Iestyn Evans (Iest Mawr). Mae'r cymeriad anghymharol hwn bellach yn eicon ym mywyd y dre.

Roedd y flwyddyn gyntaf honno ar ôl cwrdd â Roisin yn gyffro i gyd. Byddai gadael am Iwerddon ar brynhawn Gwener yn ddigwyddiad cyffredin. Gadael Aber a throi am yr A487 naill ai i'r gogledd tuag at Gaergybi neu i'r de tuag at Abergwaun. Byddwn i'n dwli ar y daith hon. Taith y pererin. Taith ar fy mhen fy hun i fyd arall. Mae croesi'r môr ar eich pen eich hun yn brofiad ynddo'i hunan. Mynd i'r bar a chwrdd â'r teithwyr hynny oedd yn yr un cwch yn llythrennol! Yn aml byddai sgyrsiau'n tanio gyda chymeriadau lliwgar yn trafod a dadlau. Yn eu plith byddai rhai oedd wedi treulio oes yn Llundain yn gweithio fel adeiladwyr. Cymeriadau allan o 'It's a long long way from Claire to here', chwedl y Fureys. Rhai'n dod nôl efallai ar gyfer angladd teuluol, aros am dridiau cyn dychwelyd i fwg y ddinas fawr a llafur caled. Un tro, cwrddais â morwr oedd yn sôn am storm fawr roedd e wedi bod drwyddi, y gwaethaf a brofodd fel teithiwr môr mewn deg mlynedd ar hugain. Fe'i daliwyd yn ei chanol hi ar long ddim yn bell o Gernyw pryd y bu'n rhaid achub pysgotwyr Sbaenaidd yn yr un dymestl. Cofiaf lawer o'i berorasiwn o hyd.

'I never saw waves breaking mid-ocean like that in all of my thirty years at sea,' meddai. 'They were like three-storey buildings, three-storey high white horses and they were breaking on the deck, taking her under for one, two, three seconds. And then she'd rise, and every time she'd rise I'd be praying that all the hatches were intact. Because, if they weren't, we'd have sunk like a stone. We rounded Cornwall and once she was behind us we were fine. We reached Belgium quicker than we expected and as we landed, the Flemish dockers were amazed by the state of our ship. Not one aerial or piece of external equipment remained. Everything had been washed away. We berthed, walked the gangway and entered the nearest bar in Belgium. We didn't surface for twenty-four hours!'

Straeon felly oedd yn rhan o daith y pererin ar fôr Iwerddon! Wrth gyrraedd Iwerddon, byddai Roisin yn disgwyl amdanaf. Y llygaid gwyrddlas yn dal golau eigion Rosslare a'i gwên fel mêl ar fy enaid. Byddai'r croeso yn Carrick wastad yn barhad ac yn estyniad o'r wên honno. Byddai spaghetti bolognaise Moira yn aros amdanom, Bobby'n cerdded lawr y grisie lle camodd ei frodyr gynt ac yn barod am y noson oedd o'n blaenau. Nosweithiau gydag ef, Finbarr, Colm eu cefnder, Aideen, Moira ac wrth gwrs, Roisin, mewn tafarndai'n byrlymu o gerdd a chân yn yr ardal – Tullahought, Faugheen, Cleggs, Mulloneys, Gainens Windgap. Y llefydd hyn oedd fy mhrifysgol lle gwnawn ddarganfod caneuon, straeon a barddoniaeth yr ardal a'r wlad. Clywed Wattie Dunphy yn adrodd 'The Bull', Bobby'n canu 'Nancy Horgan's Goose', neu gân led-operatig gan 'The Last Tenor in Carrick', dyn nad oedd yn ymestyn ond bum troedfedd o daldra hyd yn oed yn ei sgidiau platfform. Mae Carrick yn dref lled dlawd, ond ddim ond yn economaidd felly. Prin imi weld ardal fwy diwylliannol yn fy myw. Cartref theatr gymunedol The Brewery, cartre'r bardd Michael Coady a chartref llu o gantorion a cherddorion fel Kevin Power a Graham Clancy. Fe wnaeth y glatsien o gau'r tanerdy yn y dre hitio'r fro yn y modd mwya creulon yn yr 80au gan iddo gyflogi cymaint. Ond ni lwyddwyd i bylu ysbryd creadigol y bobl. I'r gwrthwyneb.

Rwy wastad yn rhyfeddu ar bŵer yr ysbryd dynol i orchfygu caledi drwy'r ysbryd creadigol. Mae'n anhygoel i mi fod yr actorion Richard Burton ac Anthony Hopkins wedi hanu o fewn tafliad carreg i Bort Talbot a Margam. Ardaloedd diwydiannol yn esgor ar rai o dalentau mwya'r byd. Yn yr un modd Carrick on Suir, a fagodd frodyr a wnaeth wyrdroi diwylliant a cherddoriaeth gwerin Iwerddon ac America. Ie, y Brodyr Clancy.

Pan gafodd Roisin waith yn Nulyn yn 1997, daeth y daith o Aber i Gaergybi yn fwy rheolaidd. Penwythnosau yn Nulyn yn disgwyl, a'r deinameg ychydig yn wahanol i Carrick. Mae Dulyn yn wahanol iawn i weddill Iwerddon. Y bensaernïaeth Georgaidd yn amlwg yn syth, y GPO a stryd O'Connell yn dal i adleisio brwydrau 1916; Grafton Street a'r cerddorion palmant yn gawl o symffonïau cosmopolitan Gwyddelig. Y byd, y ddinas a'r Iwerddon wledig yn cwrdd. Y ceffylau sipsiynaidd a'u carnau blewog yn Stoney Batter yn pasio'r fflatiau newydd ar y cei wrth i'r teigr Celtaidd ruo'i fodolaeth uwchben dyfroedd du y Liffey. Trwst Temple Bar yn denu'r twristiaid wrth yr Ha'penny Bridge a'r dinasyddion go iawn yn tyrru i'r Stag's Head. Roedd Dulyn y nawdegau yn ddinas fyd-eang, yn ddinas ar hast. Roeddwn wrth fy modd gyda'r frwydr oedd yn mynd ymlaen. Rhamant O'Donoghues a Slatterys fy arddegau yn dod benben â'r byd newydd. Doeddwn i ddim yn rhyw siŵr am wreiddioldeb y tai coffi yn wyneb hunaniaeth caffis crand Bewley's a'u llefydd tân croesawgar. Ond roedd yna rywbeth ar droed. Roedd yna chwyldro diwylliannol rhwng yr hen a'r newydd yn y gwynt, ac roeddwn i yn ei ganol.

Ar ôl blwyddyn o deithio nôl a mlaen, rhaid fu gwneud penderfyniad. Er mor gyffrous oedd y teithio a'r holl antur oedd ynghlwm wrtho, roeddwn i a Roisin ar groesffordd. Roedden ni mewn cariad ac roedd yn gam naturiol ar y pryd i'r naill neu'r llall symud yn barhaol dros y stribyn o ddŵr oedd rhyngom. Roeddwn i'n dawel eiddigeddus fod Roisin wedi byw yn Los Angeles. Ac fel actor a cherddor, roedd gen i awydd i flasu meysydd newydd. Dyma fi felly yn gwerthu fy hen Peugeot 405 a chamu ar y bad yng Nghaergybi am gyfnod mwy parhaol yn Iwerddon. Roedd Tres, fy chwaer, wedi cynnig fy nhywys yno yn ei Peugeot 205 bach ac felly roedd yna ryw fath o gytgord teuluol rhwng y ceir a ni. Ffarwelio felly â'r car, fy ngwlad a fy nheulu a symud i Ddulyn.

Am gyfnod, fe wnaeth y ddau ohonom letya gyda ffrind i'r teulu, Siobhan Drummey, dynes hyfryd o An Rinn sy'n galon i gyd. Roedd hi'n byw yn Leixlip y tu allan i Ddulyn gyda'i merch Teresa. Gan nad oedd dyn yn bresennol yn y tŷ, roedd ganddi ryw dric rhyfedd yn fy nisgwyl yn y tŷ bach. Ar y noson gyntaf, a minnau'n gorfod ateb galwad natur, sylwais fod yna gorcyn yn nofio ar ddyfroedd y bowlen islaw. Wrth i mi gychwyn ar y gorchwyl naturiol, teimlais ryw reddf i fwrw'r corcyn fel anelwr bwa saeth. Heb feddwl dwywaith, roedd rhyw gêm fyrfyfyr ar droed a minnau'n is-ymwybodol yn ceisio fy ngorau glas i suddo'r nofiwr gwibiog. Tasg anobeithiol oedd honno, ond yn sgil y gêm anochel, roeddwn wedi llwyddo i gadw fy annel yn gywir, ac o ganlyniad wedi cadw sedd y tŷ bach a'r cyffiniau yn sych! Tric athrylithgar Siobhan gan wybod fy mod yn ymweld. Wrth edrych nôl, wy'n cofio pa mor swreal oedd y profiad. Adlais o fyd Pontsiân yn lafertri'r Cilgwyn yng Nghastell Newydd Emlyn ers talwm!

Ar ôl wythnos o letya yn nhŷ Siobhan, llwyddasom i ddarganfod fflat yn ardal Kilmainham. Llety bach newydd sbon oedd hwn, un a oedd yn gyffredin ym mhensaernïaeth y Ddulyn newydd. Modern, bychan ond yn gartref bach dedwydd i ni'n dau gyda'n gilydd – Fflat 79D, Bow Lane West. Gan fy mod i wedi gwerthu'r car, bwriadwn fyw ar enillion y gwerthiant nes fy mod i'n llwyddo i ganfod gwaith. Llwyddais i gael asiant yn Nulyn ond roedd gwaith actio'n brin yn y misoedd cyntaf. Roeddwn wedi perfformio yng Ngŵyl Theatr y ddinas ryw flwyddyn ynghynt. Ond nawr roedd yn rhaid i mi ennill fy mhlwyf o'r newydd. Sefyllfa frawychus braidd, ond roedd ysbryd anturus fy ieuenctid yn barod am yr her.

Gan nad oedd gwaith actio yn dod i law, rhaid oedd chwilio am rywbeth arall. Penderfynais edrych am waith barman yn un o dafarndai niferus y ddinas. Yn fy naïfrwydd, roeddwn yn sicr y byddai unrhyw reolwr bar yn croesawu cefnder Celtaidd fel fi i'w dŷ tafarn. Ond yn fuan, sylweddolais fod gwaith tu ôl i fariau Dulyn yn faes cystadleuol, gydag aelodaeth o undeb yn fantais fawr. Treuliais ddyddiau'n crwydro'r ddinas yn ceisio argyhoeddi perchnogion fod gweithio y tu ôl i far Clwb Rygbi Castell Newydd Emlyn yn gymhwyster delfrydol ar gyfer y gwaith.

'Back in Wales, you'd have to take five orders at a time,' oedd fy nghynnig gorau i greu argraff. Ond roedd hi'n anodd dwyn perswâd. Wedi'r cyfan, roeddwn i ym mhrifddinas tafarndai'r byd, ac roedd gweini bar yn waith a gâi ei gymryd o ddifri. Roedd hi'n daith eithaf unig ar hyd palmentydd llwyd Dulyn yn ceisio dod o hyd i waith. A'r unig gysur oedd cael profi amrywiaeth y gwahanol dafarndai niferus. Un diwrnod, a minnau eto yn methu dwyn perswâd perchennog tafarn ar Thomas Street, dyma fi'n mynd i'r tŷ bach. Yno y gwelais ddarn o graffiti ar fur y lle chwech a wnaeth godi fy nghalon yng nghanol undonedd y dydd:

'Red sky in the morning, shepherd's warning,
Red sky at night, shepherd's delight,
Minced meat, potatoes, peas and gravy, shepherd's pie!'

Profiadau bach fel hyn oedd yn fy atgoffa o abswrdiaeth y byd, ac yn fy nghymell i beidio â chymryd popeth ormod o ddifrif. Efallai mai'r newid agwedd hwn a'm helpodd i pan amlygodd cyfle yn nes at adre. Wrth gamu o'r bws ger ysbyty St James, cerddais i lawr y grisiau hir tuag at Bow Lane West a phasio'r hen dafarn wrth y bont fach islaw. Prin oeddwn wedi sylwi'n iawn ar Murray's Bar uwchben nant fach Camac o'r blaen. Roedd e fel tase fe'n cuddio yn y pant fel hafan dawel yng nghanol prysurdeb y ddinas. Roedd hi'n ardal fach ddiddorol. Roedd mwy nag un enw ar y grisiau: Cromwell's Quarters ar ôl cyfnod yr hen Oliver neu ei fab yn Kilmainham. Roedd yr enwau 'The 40 Steps' neu 'Murdering Lane' hefyd i'w clywed. Wrth edrych nôl, roedd hwn yn gwm bychan yng nghanol ardal yn cwmpasu Ysbyty St James, ysbyty meddwl St John O' God, Carchar Kilmainham a'i ysbrydion 1916, amgueddfa gelf fodern Iwerddon a gorsaf drenau Heuston yn ffinio'r llecyn i'r gogledd. A dyma ble ro'n i, rhwng muriau tal y staer hir hanesyddol oedd yn fy atgoffa o'r grisiau arswydus yn ffilm *The Exorcist*. Edrychais i fy chwith a gweld arwydd yn y ffenest fach,

'Bar Staff Wanted'. Gyda hanner gwên, camais i mewn.

Ar ôl gweld y graffiti doniol yn gynharach, a cherdded lawr y grisiau hanesyddol hir, roeddwn wedi penderfynu y byddwn, heb os nac oni bai, yn cael y swydd. Roeddwn i'n actor, a doedd bosib na allwn i chwarae rhan barman profiadol! Roedd rheolwr Murray's Bar yn ddyn ifanc croesawgar ond yn drylwyr ei holi.

'Have you worked in busy pubs?'

'Yes. Huge rugby clubs in Wales.'

'You know the etiquette of pouring Guinness properly?'

'We respect Guinness more than the Irish.'

'Can you draw the Shamrock on top for the tourists?'

'Yes, yes!' (A dyma fi'n trio, a neud cawlach ohoni.)

'That's the Welsh dragon,' meddwn i yn or-hyderus.

'Have you done cellar work?'

Saib... ysgwyddau nôl...

'Yes'.

A dyma ni'n disgyn i lawr i'r seler tywyll du a fyddai weithiau'n cael ei orlifo gan yr afon fach yn y gaeaf. Doeddwn i erioed wedi newid casgen yn fy myw, ac wrth i mi wynebu ysgol o gasgenni Guinness, Heineken, Smethwicks a Budweiser – casgenni oedd yr un fath ar draws y byd yn grwn – dyma fi'n ffug-hyderus yn yngan y geiriau,

'I think you have a different system over here!'

Syllodd arna'i gan drio'n galed i ddal nôl yr hanner gwên oedd yn bradychu ei ddifrifoldeb.

'Go on out of that, ye' chancer!', medde fe cyn dechrau dangos y grefft o newid y pibellau gwahanol ar y casgenni arian. Cefais y swydd o weithio am chwe mis yn yr hen dafarn ddirgel yn yr ardal fach ddifyr honno o Ddulyn. Ac o fewn dim amser fe ddaeth 'Brethyn Gwlân' drwy'r drysau hefyd. I ddweud y gwir, doedd dim rhaid aros yn hir. Ar fy shifft cynta yn cychwyn ddiwedd bore hydrefol ym mis Tachwedd, cychwynnais arni. Fe ymlwybrodd y cymeriadau i mewn un wrth un. Johnny oedd y cyntaf i gychwyn ei awr ginio yn gynnar; Billy ddim yn bell ar ei ôl. Ac wedyn yr anfarwol Milky Bar Kid gyda'i sbectol drwchus yn chwyddo maint ei lygaid glas direidus. Fe fyddai'n sugno dyrnaid o glofs gyda'i beint olaf i guddio pechodau hylif du Murrays cyn dychwelyd i'r gwaith. O fewn awr, fe fydden nhw wedi holi fy mola'n berfedd. Cwestiwn ar ôl cwestiwn. Holi o ble roeddwn i wedi dod. Holi am fy ngwaith fel actor a chanwr. Holi am Roisin a theulu'r Clancys a lle o'n i'n byw yn yr ardal. Wrth i'r amser basio ac i fwy o gymeriadau gyrraedd, fe ddaeth pawb i'n nabod i, a finne hwythau. Dyma oedd bois Dulyn go iawn. Bois llawn hiwmor, cellwair a thynnu coes. Roedd fy nghefndir gorllewin Cymru yn Llechryd a Ffostrasol yn gwbl hanfodol i oroesi yn y math amgylchfyd.

Roedd y barman cynt (actor arall) wedi gadael ar ôl rhai dyddiau oherwydd ei ddiffyg hiwmor a'r ffaith na fedrai dywallt peint o Guinness yn daclus. Roedd hyn yn bwysig. Gormod o ben arno, a byddai'r cwsmer yn anhapus. Unrhyw ddiferion yn llifo dros ymyl y gwydr ac mi fyddai'r tancwyr yn anhapus. Roedd y broses o arllwys y peint, ac yna'r llwnc cyntaf yn hynod bwysig i'w mwynhad. Roedd yn rhaid i mi ddysgu'n gyflym, a'r diwrnod cyntaf yn fedydd tân. Dringais o'r seler ganol prynhawn ar ôl i gasgen o'r llaeth du dasgu dros fy nghrys a'm tei newydd. Roeddwn wedi anghofio troi'r tap y ffordd gywir ac roedd y corws o chwerthin a wnaeth fy nerbyn wrth ddychwelyd i'r bar yn arwydd fy mod i dan brawf.

Tua phump o'r gloch, daeth cymeriad garw ei olwg i eistedd wrth y bar, ei ddwylo craciog llwyd a'i wyneb rhychiog yn darlunio bywyd, gwaith a thywydd garw. Roedd rhaid i mi ofyn iddo bum gwaith beth oedd e eisiau i yfed.

'Jimmy and a large bottle.'

Bu'n rhaid i Billy fy helpu.

'He wants a Jameson and a large bottle of Guinness.'

A dyna oedd defod y cymeriad tawel hwnnw bob dydd am bump o'r gloch wrth i'w ddiwrnod ddirwyn i ben. Joch o wisgi yn cael ei gwrso gan bedair potel fawr o'i hoff foddion. Ac yna gadael yn brydlon fel cloc yn taro neu glychau'r Angelus. Gydag amser, byddwn yn barod gyda'i ddiodydd wrth iddo gamu trwy'r drws. Dyna oedd gofynion fy nghrefft, sef deall mympwyon y cymeriadau lliwgar oedd yn camu i mewn i'r byd rhyfedd hwn. Fel y gŵr a oedd yn ffafrio un pwmp Guinness dros y llall gan ei fod yn oerach. Un arall oedd byth yn gorffen peint cyfan gan nad oedd rhinwedd yn y gwaddod olaf. Roedd rhai nad oedd eisiau sgwrs tra bo eraill fel pwll y môr. Roedd llawer i'w ddysgu, a hynny'n gyflym, fel dysgu sgript drama lwyfan fyddai'n parhau am oriau.

Erbyn diwedd fy shifft gyntaf, roeddwn wedi cael gwres fy nhraed. Ond nid dyna'r diwedd arni. Cerddais o gefn y cownter a dyna ble roedd rhai o'r hoelion wyth yn aros amdanaf gan ordro peint a'i blannu o 'mlaen.

'Right Ryland, you're Welsh. Sing us a song.'

Doedd dim dewis ond cymryd llwnc a bwrw mewn i'r gân gynta ddaeth i fy meddwl, 'Brethyn Cartref'.

'This is a Welsh folk song. It's about sheep.' (Bloedd o chwerthin.) 'And a man who was fond of a woolly jumper.' Dyma fi mewn iddi fel petai dad, Elfed Lewys neu Bobby wrth fy ochr ac fe gafodd y gân ymateb croesawgar tu hwnt! Wedi hynny, os oedd sesiwn canu yn cychwyn, fe fyddai naill ai Billy neu'r Milky Bar Kid yn gweiddi o ryw gornel

'Ryland, give us the one about the woolly jumper!'

Dyna oedd byd Murray's Bar, Bow Lane West. Sŵn acenion

trwchus bois Dulyn yn gymysg â mwg y John Players Blue yn codi tua nenfwd hen-ffasiwn isel yr hen le. Straeon llawn chwerthin, cwyno, chwaraeon, ceffylau, cerddoriaeth, ac yn anad dim tynnu coes. Rhoddodd y dafarn fywyd newydd i'r gân yn fy enaid. A rhai blynyddoedd wedi hynny, recordiais fersiwn amrwd fy hun o'r gân a newid y teitl ar y recordiad i 'Brethyn Gwlân' gan i mi ailadrodd y geiriau hynny a'r gytgan yn aml yn fy fersiwn. Roedd yn rhyw fath o gymhwyster i gael fy nerbyn yn ardal Kilmainham yn y 90au hwyr, ac felly'n dal i hawlio lle yn fy mywyd hyd heddiw.

Ar ôl rhyw chwe mis, cefais fy swydd gyntaf fel actor yn Nulyn. Ar ôl cyfweliad llwyddiannus, cefais ran yn chwarae Aelod Seneddol Prydeinig yn nrama Michael Harding, *Amazing Grace* yn Theatr Genedlaethol Iwerddon, yr Abbey yn Theatr y Peacock. Drama newydd wedyn yng Ngŵyl Theatr Dulyn, ddwy flynedd ar ôl perfformio yno am y tro cyntaf a chwrdd â Roisin. Drama hanesyddol am wrthryfel 1798 yn Iwerddon oedd hon, ac roeddwn wrth fy modd. Serch hynny, roedd gen i hanner gwên ar fy wyneb wrth gamu drwy ddrysau'r Abbey y bore cyntaf hwnnw. Dyma fi'n paratoi i chwarae rhan Aelod Seneddol Prydeinig mewn drama Wyddelig yn y theatr enwog hon. Ac yn fy nghof, namyn wythnos cyn hynny, roeddwn yn chwarae rôl Cymro brethyn cartref mewn theatr fach ddi-nod yr olwg ac un lawer yn llai yn hen ardal Kilmainham. Theatr lawer yn llai, ond ddim mymryn yn llai pwysig.

9.

Stori Ni

Llefen am y dyddie da,
Chwerthin am y dyddie drwg,
Tynnu'r storis mas o'r du
A sychu'r dagre yn y mwg.

Achos hyn
Ma'r dyddie'n dal i fod,
Achos hyn
Ma'r dyddie'n dal i ddod,

Codi calon yn y gân,
Clywed oes yr hynaf rai,
Dala'u gwên yn dala'r dydd
A theimlo creithiau'r 'felna mae'.

Achos hyn
Ma'r dyddie'n dal i fod,
Achos hyn
Ma'r dyddie'n dal i ddod,

A ma heddi gyda ti.
A ma fory'n dal 'da ni.

Gweld eu came'n un bob dydd,
Ti a fi a'n heddi'n un,
Teimlo fory'n towlu mas
Storis newydd yn ein llun,

Achos hyn
Ma'r dyddie'n dal i fod,
Achos hyn
Ma'r dyddie'n dal i ddod.

Cifa, Roisin, Myfi, Lowri, Fi

Dyma un o'r caneuon cyntaf i mi ysgrifennu gyda'r bwriad o'i rhyddhau. Cân yw hi oddi ar yr albym *Heno* yn 2003, a chychwyn ar fy nhaith fel ysgrifennwr caneuon. Dydy hyn ddim yn gwbl wir wrth gwrs gan fy mod wedi dechrau ysgrifennu nôl yn fy nyddiau cynnar yn Ysgol Gyfun Dyffryn Teifi. Ond roedd 'Stori Ni' yn drobwynt, roedd gen i'r awydd i ysgrifennu a recordio. Fe gyd-darodd y cordiau cyntaf gyda throad y mileniwm a dyfodiad ein merch gyntaf, Lowri. Am wn i, roedd y newidiadau hyn wedi esgor ar ysbryd creadigol newydd ynof. Roedd gen i 'riff' penodol yn troi ar gribellau'r gitâr. Patrwm yn disgyn trwy gord G mwyaf ac yn diweddu'n gyrhaeddiad pendant ar C a G. Fel tudalen lân, fe ddaeth y rhagarweiniad yn ffres i fy meddwl.

Roedd y gitâr yn offeryn gweddol newydd i mi bryd hynny. Cychwynnais ar y piano ac yna ymlaen i'r mandolin a'r bouzouki. Prynais fy ngitâr gyntaf mewn siop gerdd yng Nghaer pan oeddwn yn ymarfer trioleg Alexander Cordell, *Rape of the Fair Country*, i gwmni Clwyd Theatr Cymru yn yr Wyddgrug. Roedd Finbarr, brawd Roisin, a'i gymar Gráinne wedi dod i ymweld â ni ac roedd Fin yn gyngor gwerthfawr wrth ddewis y Takamine G Series. Am ryw reswm, doeddwn i ddim wedi dechrau chwarae'r gitâr tan ganol fy ugeiniau. Hynny er bod wastad gitâr yn y tŷ yn Llechryd a Ffostrasol. Hen gitâr Sbaenaidd roedd Dad yn ei chwarae oedd hi, un a gafodd ei hanfarwoli yn fy meddwl mewn sgets gan Bois y Ferwig. Dad yn dal y gitâr uwchben ei fol tra'n dynwared cantorion fel Elvis a David Lloyd. A'r uchafbwynt wastad, 'Myfanwy' yn llais Louis Armstrong. Roedd hi'n sgets a hanner ac yn enwog ar draws Cymru. Dad a'r dihafal Maldwyn Griffiths fel Tony ac Aloma, 'Mae gen i drwsus tynn a minne heb ddim' yn ysgogi côr o chwerthin mewn neuaddau pentre lu.

Dw'i ddim erioed wedi gweld fy hun fel gitarydd. Cychwynnais ar y piano gan ddysgu theori, graddfeydd, arpeggios ac ati yn y modd clasurol gonfensiynol. Yn yr un modd, dysgais y mandolin mewn ffordd debyg drwy ddarllen cerddoriaeth jigs a reels. Roeddwn felly yn nabod elfennau gwahanol y ddau offeryn gwahanol. Ond gyda'r gitâr, esblygodd fy nefnydd ohoni yn raddol mewn tafarnau, sesiynau a sefyllfaoedd anffurfiol. Wnes i byth felly astudio na deall ei hanfodion technegol. Rhyw fwngrel o offeryn yw e yn nheulu fy offerynnau, ond aelod llawn o'r teulu serch hynny! Am wn i, fe ddaeth y ddau gonsept hyn, y confensiynol a'r mwngrelaidd, i'r amlwg pan dechreuais i chwarae o'r glust.

Roedd y tenor Aled Hall yn yr ysgol yn Llandysul ac yn ddwy flynedd yn hŷn na mi. Un prynhawn, wy'n cofio'i weld yn chwarae rhyw ddarn cyfoes a chwaethus ar y piano, a thynnodd fy sylw ar unwaith. Y noson honno ar ôl dychwelyd gartre, dyma fi'n syth at y piano a thrio chwarae fy alawon fy hun o'r glust. Ar y pryd, roedd ffilm Eddie Murphy *Beverly Hills Cop* yn boblogaidd a thrac sain cofiadwy Axel F ynddi. Wel, am wythnosau lu, bues i'n ceisio meistroli'r alaw a'r darn yn gyfangwbl, a hynny hyd at syrffed. Cai'r syrffed ei adlewyrchu ar wynebau Mam, Dad a Tres pryd bynnag fyddwn i'n ei chwarae! Symudais o Axel F i thema tôn y gyfres ddrama *Hill Street Blues*. Ac yna clywais Huw Chiswell am y tro cyntaf. Roedd Dad a'i ffrindie yn trefnu cyngherddau yn gyson yn y gorllewin a bu Huw yn aros gyda ni droeon. Fe ddaeth yn gyfaill agos i'r teulu. Erbyn hyn, gwn bod Dad wedi gweld rhyw botensial yn y ffordd fyddwn i'n ceisio fy ngorau i ddysgu technegau cyfoes ar y piano. Roedd Chis yn enwog yng Nghymru ar y pryd a bu fy nghyflwyno iddo yn fodd i fy ysbrydoli ymhellach.

A do, bu Chis yn ddylanwad yn sicr. Doeddwn i byth wedi clywed neb yn chwarae a chanu gyda'r piano fel ef o'r blaen. Yn nes ymlaen yn fy mywyd, clywais eraill oedd o'r un anian fel Randy Newman, Bruce Hornsby, Billy Joel ac Elton John. Ond Chis oedd egin fy niddordeb. Ar ôl clywed 'Rhywbeth o'i le' yng Nghegin Siôn Cwilt ar ddiwedd yr 80au, es i gartre a dysgu'r gân fel wnes i gydag Axel F a *Hill Street Blues*. Ar yr un pryd fel rhyw serendipiti, fe ddaeth Islwyn Evans yn athro cerdd yn Nyffryn Teifi. A dyma un wnaeth fy annog i ddatblygu'r glust a'i defnyddio yn fy arddull gerddorol o gyfansoddi. Mae a wnelo'r cyd-ddigwyddiadau yma â'r hyn ydw i heddi. Y bobol hynny sy'n ddylanwad yn y modd mwya naturiol. Yr addysg sy'n hanu o ysbrydoliaeth.

Pan ddaeth y gitâr yn rhan o'r broses o ysgrifennu, roedd yr amrywiaeth a gynigiodd yn sianel newydd i'r awen. Dyna sy'n digwydd wrth newid offeryn. Mae sain gwahanol tant neu allweddell yn fodd i'n tywys i fannau gwahanol o'r ymennydd, y cof, y cordiau a'r emosiwn. Wrth edrych nôl, roedd y gitâr yn cyrraedd ar gyfnod corwyntog a chyffrous.

Priodais i a Roisin ar y 29ain o Fai 1999. Priodas Ban Geltaidd go iawn yn Eglwys An Rinn, Iwerddon ac ymlaen i westy'r Parc yn Dungarvan. Does dim all eich paratoi at ddiwrnod neu benwythnos tebyg. Wy'n cofio edrych nôl at y dorf yn yr eglwys a theimlo ton ysgubol o emosiwn wrth weld teulu a ffrindie o'r ddwy ochr ac o'r ddwy wlad. A Roisin fel tywysoges yn cerdded at yr allor ar hyd llwybr y gwnaeth ei rhieni hithau ei gerdded flynyddoedd yn gynharach.

Roedd y briodas yn fwrlwm o ganu a cherddoriaeth, a'r cyfan yn dod i uchafbwynt ar y prynhawn Sul trannoeth yn nhafarn Mooneys lle'r oedd y Cymry a'r Gwyddelod wedi ymgynnull. Fues i ddim erioed mewn stafell lle roedd shwd gymysgedd i'w glywed o'r ddau ddiwylliant yn cyd-gyfarfod; yn alawon, yn ganeuon, yn emynau, yn straeon. Un afon o lifeiriant emosiynol na phrofais i gynt nac wedyn. Pan orfodwyd inni adael fin nos mewn tacsi a drefnwyd gan fy ngwas priodas Gwion Huw, roedd y dafarn gyfan wedi ymgynnull wrth y Cross i lawr y lôn. Yn fanjos, gitârs, ffidlau a bodhrans, roedd y ffordd yn ferw o gyrff yn dawnsio a chanu. Amhosib oedd dal y dagrau nôl wrth ymadael.

Yn ystod ein mis mêl ger Alicante yn Sbaen, cefais alwad gan fy asiant yn Nulyn i ddweud fy mod wedi cael rhan mewn ffilm Sbaeneg! Roeddwn wedi cael cyfweliad rai misoedd yn gynharach yng Nghaerdydd, a heb feddwl rhyw lawer amdano ers y diwrnod hwnnw. Enw'r ffilm oedd *Viaje de Ida y Vuelta* (Taith Gyfnewid). Stori oedd hi am ferch o Wlad y Basg sy'n teithio i Gymru ac yn cwrdd â gŵr ifanc sydd â gwybodaeth helaeth o'i diwylliant hi gan fod ei dad-cu wedi ymladd yn erbyn Franco yng ngwrthryfel 1936. Nawr, roedd fy asiant wedi sôn wrth y cwmni cynhyrchu nad oeddwn i'n siarad Sbaeneg o gwbl. Ond am ryw reswm cafodd y manylyn pwysig hwn o wybodaeth ei golli ar linellau ffôn traws Ewropeaidd! Derbyniais sgript yng Nghymru ychydig cyn y cyfnod saethu, a hwnnw yn Saesneg. Roedd yna ambell i frawddeg yn Sbaeneg a oedd yn awgrymu i mi fod fy nghymeriad yn medru ar ychydig o'r iaith. Dim problem, meddyliais. Tan i mi eistedd yn y darlleniad cyntaf o'r ffilm yn Donostia (San Sebastian) yng ngogledd-ddwyrain Gwlad y Basg.

Roedd yna fwrdd bach yn fy nisgwyl gyda'r gyfarwyddwraig, Nuria de Cabestany a'r brif actores, Ingrid Rubio, a oedd yn seren yn Sbaen ar y pryd, yn eistedd wrtho. Dyma fi'n eu cyfarch ac yn agor y sgript. Cychwynnais fy llinell gyntaf yn fy ail iaith rugl, fy Saesneg gorau. Cafodd ei ateb gan follten oddi wrth Nuria.

'No! No! No! ...Is Spanish!.. Is Spanish!'

Tawelwch llethol. Fe alla'i ddal i deimlo'r gwaed yn saethu i fy mochau wrth i'r gymysgedd fwya rhyfedd o sioc, ofn, cywilydd ac anghredinedd gronni ynof.

'Um ... I'm afraid there's been a terrible misunderstanding. I did make it quite clear. I don't speak Spanish.'

Unwaith eto, tawelwch llethol. Y math o dawelwch oedd ond yn cael ei lenwi gyda'r geiriau yn fy mhen: 'Ti'n bell o gatre nawr gwd boi'. Neu hyd yn oed eiriau Pontsiân, 'Os fyddi di byth mewn trwbwl, tria ddod mas 'no fe!' Wel, am ryw ddeg munud, roedd 'na glwstwr o bobl mewn cylch yn parablu mewn cawlach o gytseiniaid annealladwy. Ac o dro i dro ro'n i'n clywed 'Galés!' a 'No!' yng nghanol y cyflythrennu cynddeiriog.

Penllanw'r panig oedd deall bod rhaid i mi ddysgu Sbaeneg mewn wythnos. Neu o leiaf ddysgu'r sgript! Cyflogwyd athro Saesneg lleol oedd yn rhugl yn eu hiaith hwythau a dyma gychwyn ar chwe wythnos o'r her fwyaf yn fy mywyd proffesiynol. Roedd Roisin a finne yn aros mewn gwesty pum seren yng nghanol y ddinas hardd. Ond chefais i fawr ddim amser i wir werthfawrogi'r gwesty moethus na'r golygfeydd. Roedd fy niwrnodau fel a ganlyn:

6:00am Dihuno, PANIC! Mynd at y sgript.
1:00am Gadael y Sgript...Cysgu.

Ac felly y bu am fis a hanner. Ceisiais ddysgu'r geiriau a

goslef y brawddegau yn yr un modd â dysgu cân. Yn y chweched dosbarth roeddwn wedi dysgu'r gân Eidalaidd, 'Amarilli' gan Caccini, ar gyfer fy arholiadau cerdd Lefel 'A'. Ond doedd honno ond rhyw gwta bedair munud o hyd. Roedd y sgript yma'n awr a hanner o ddeialog mewn iaith estron, a finne'n chwarae'r brif ran wrywaidd! Fe ddaeth y dyn sain yn ffrind gore i mi. Pan fyddwn yn taro'r hoelen ar ei phen yn fy ynganiad, fe fyddai'n codi ei fawd. Diolch amdano! Roeddwn yn gorfod bod mor drwyadl yn fy mharatoadau fel bod rhai o'r llinellau'n dal yn fy mhen heddiw, bron ugain mlynedd wedi'r argyfwng! Hyd heddiw, fe alla'i ynganu ambell frawddeg ddiwerth yn gwbl glir:

'Vamos! Te mostraré la nueva parte del castillo. Aquí es donde vivió el dueño hasta que murió.' (Dere! Fe wna'i ddangos y darn newydd o'r castell i ti. Dyma lle roedd y perchennog yn byw cyn iddo farw.) Brawddeg mor ddefnyddiol wrth deithio Sbaen yn y dyfodol!

Rhywfodd, fe ddes i drwyddi. I fod yn deg, roedd e'n brofiad anhygoel. Treulio'r amser yng ngwlad y Basg. Ar y penwythnosau, cawsom amser gwych yn ninas hardd Donostia. A chawsom gyfle hefyd i ymweld â llefydd anhygoel fel Pamplona yn ystod gŵyl y Fiesta San Fermín lle mae'r trigolion gwallgo yn rhedeg gyda'r teirw. Ddim yn annhebyg i Gastellnewy' ar nos Sadwrn! Un prynhawn, cefais gip ar John Toshack o ddrysau'r lifft. Ceisiais ddychwelyd i'r cyntedd, ond roedd e wedi gadael erbyn hynny. Roedd Toshack wedi bod yn rheolwr ar glwb pêl-droed Real Sociedad wrth gwrs, a braf fyddai wedi cael cwrdd â fy nghyd-Gymro.

Hyd heddiw, dw'i heb weld y ffilm. Ond rhyw ddiwrnod, mewn rhyw fwthyn anghysbell yng nghanol y mynyddoedd, mi fentraf – gyda'r llenni ynghau ac ar fy mhen fy hun – caf wylio'r ffilm a gweld shwd siâp gafodd y Basgiwr o Ffostrasol!

Dyna'r math o gyfnod oedd troad y mileniwm i ni. Taith barhaol gynhyrfus ac anturus o un man i'r llall. Treuliais i a Roisin droad y ganrif yn yr Wyddgrug tra mod i'n perfformio

Dan y Wenallt yng nghwmni'r cyfarwyddwr celfydd Terry Hands. Ymlaen wedi hynny i Benarth ger Caerdydd a ffilmio'r gyfres ddrama F*ondue, Rhyw a Deinasors*. Yn chwarae rhan y pregethwr Tudur Noel, fues i'n ddigon ffodus i ennill BAFTA Cymru am y perfformiad.

A dyna pryd ddaeth Lowri i'r byd. Cyfnod lle roedd un profiad yn dilyn y llall, a fy merch hynaf a cherddoriaeth yng nghanol popeth. Fe ddaeth 'Stori Ni' yn anthem bersonol i'r profiadau bythgofiadwy hynny. Mae'n gân i Roisin a'r tair merch sydd gennym, Lowri, Cifa a Myfi. Roedd ein byd ar gychwyn y daith honno yn frith o amrywiaeth a chyffro. Cymru, Iwerddon, Ewrop, America ac am wn i mae'r tair ohonynt yn adlewyrchiad o'r asbri amrywiol hynny. Mae'r tair mor wahanol i'w gilydd ond yn gynfas o'u cefndir amryliw. Mae Lowri'n ymdebygu o ran pryd a gwedd i ochr fy Mam. Cifa fel y Clancys. A Myfi'n pontio'r ddwy ochr. Mae'r tair erbyn hyn yn dair-ieithog ac mae iaith ein cartref yn neidio rhwng y Gymraeg, Gwyddeleg a Saesneg Iwerddon. Mae eu Cymraeg yn adlais o dafodiaith a goslef Ffostrasol. Ond bydd yr acen yn newid fesul eiliad wrth i ffrind Gwyddelig neu aelod o'r teulu yn An Rinn gamu i'r tŷ.

Mae eu chwaeth gerddorol yn gymysg hefyd. Lowri ar y piano, Cifa ar y gitâr a Myfi'n meddu ar y glust orau ohonon ni i gyd. Mae ganddynt hefyd y gymysgedd ddiddorol o gelfyddyd a hiwmor de-ddwyrain Iwerddon a de-orllewin Cymru. Tair sy'n ddigon parod i gadw eu tad yn ei le yn yr un ffordd ag y gwnâi Anne Mooney neu Thelma'r Felin. Tair sy'n bopeth i mi erbyn hyn, yn enwedig wrth ddychwelyd o Gymru ar ôl gwaith. Y tair, ac wrth gwrs Roisin. Croesais y môr i gwrdd â fy enaid hoff cytûn. Ni wnes i erioed gwrdd ag unrhyw un sydd gymaint fel darn o jig-so sy'n ffitio fy enaid yn berffaith. Hi yw'r un sy'n fy neall orau a hi yw fy angorfa ar fordaith bywyd. Dyna'n stori ni. Yr amrywiaeth. Nid un lle. Nid un traddodiad neu iaith. Ond yr amryliw. Mae'r cyferbyniad hwn yn aml yn destun sbort. Tra byddwn ni ar yr un llaw yn cefnogi tîm hurling y Déise yn Sir

Waterford, rwy'n sydyn barod i'w hatgoffa nhw i gyd o'r cysylltiad mynwesol â thîm rygbi'r Sgarlets!

Mae ein byd yn ddibynnol ar ganu a pherfformio. Wy'n cofio chwaer Roisin, Aideen, sy'n un o'r ysgrifenwyr caneuon anhysbys gore wy'n nabod, yn fy atgoffa i o hyn unwaith. Fel pob actor a cherddor, mae yna gyfnodau lle mae gwaith yn brin. Rydym wedi gweld llawer o doriadau mewn nawdd i'r celfyddydau ers 2008, a dydy pawb ddim yn ymwybodol o fodolaeth anwadal yr artist. Wrth weld ein hwynebau ar y sgrin, neu glywed cân ar lwyfan, mae'r gwirionedd tu ôl i'r llen yn gallu bod yn dra gwahanol. Wrth fyw ym myd afreal perfformiwr, mae'r rhan fwyaf ohonom yn profi caledi. Cyfnodau lle mae hyder yn pylu a'r awen yn diflannu. Mewn cyfnod tebyg, byddaf yn cofio geiriau Aideen a ddywedodd,

'Don't you realise what you're giving your girls? All the music that's around them.'

Mae ei geiriau'n dal i atseinio. Wy'n fy atgoffa fy hun o hyn yn aml ac yn ceisio dal pwysigrwydd y geiriau mewn cyfnodau da a drwg. Yn yr un modd, mae'n bwysig i mi gefnogi ffrindie eraill yn fy niwydiant. Wy'n cofio dau dro pan oedd cyfeillion i mi wedi fy llongyfarch ar ddarnau o waith pan oeddent hwythau mewn cyfnodau tawel llai llewyrchus. Un ohonynt oedd Julian Lewis Jones a'r llall oedd fy mrawd yng nghyfraith Finbarr. Does dim mesur gwell o gymeriad pobol na'r ffaith eu bod yn ffrindiau mynwesol hyd yn oed pan mae pethau'n dynn arnynt hwythau. Wna'i byth eu hanghofio a wna'i byth golli parch tuag atynt.

Ynghyd â'r cyfeillion gwerthfawr sydd gennyf daw'r esblygiad naturiol tuag at beidio cymryd pethau ormod o ddifrif. Yn y llecynnau tywyllaf, gall gwên ymledu wrth gofio stori dda. Amser o ddwli, troeon trwstan a'r cyfnodau lle rwy wedi bod yn fy nwble gyda ffrindie. Gall bywyd fod yn abswrd weithiau. Mae'n stori ni i gyd yn bwysig. Daeth y gân yn fyw gyda threfniant celfydd Dan Lawrence oedd yn cyd-gynhyrchu'r albym *Heno* gyda mi a Hywel Wigley. Dyma fy sengl gynta mewn ffordd. Ac efallai'r gân symlaf imi ei hysgrifennu erioed. Cân a gychwynnodd o'r bywyd newydd a ddaeth yn sgil cwrdd â Roisin. Cân i'r merched, Lowri, Cifa, Myfi, eu cefndrid asbrïog Cerys ac Aron a'r teulu oll. Dyma'n Stori Ni.

10.

Lili'r Nos

Calon Lân yn llawn daioni,
Weithie'n galon llawn drygioni,
Calon ti, dy galon di
Yw lili'r nos.
Des i nôl yn nwylo'r bore,
Des i nôl i wneud fy ngore,
Des i nôl, des i nôl
I ti.

O, ma dy law gyda llaw yn meddwl mwy
Pan ma madde'r haul yn twymo'r dydd,
Neu fel y rhai sydd ar fai yn dysgu mwy
Wrth i ame'r nos fynd yn rhydd.

Llonydd weithie'n well na'r beie,
Dagre weithie'n fwy na'r geirie,
Dewn ni nôl, dewn ni nôl
I ni.

O, ma dy law gyda llaw yn meddwl mwy
Pan ma madde'r haul yn twymo'r dydd,
Neu fel y rhai sydd ar fai yn dysgu mwy
Wrth i ame'r nos fynd yn rhydd.

Achos...

Calon Lân yn llawn daioni,
Weithie'n galon llawn drygioni,
Calon ti, dy galon di
Yw lili'r nos.

Lili'r nos
Lili'r nos
Lili'r nos
Lili'r nos

Yr hen biano wnaeth fy helpu gyfansoddi Lili'r Nos!

Doeddwn i ddim erioed wedi ystyried cyfansoddi cân ar gyfer unrhyw gystadleuaeth. Hynny yw, nid tan Hydref 2005. Derbyniais alwad ffôn bryd hynny gan y cerddor Owen Powell o'r grŵp Catatonia gynt. Roedd e'n rhan o dîm newydd cynhyrchu cystadleuaeth Cân i Gymru. Roedd e wrthi'n cysylltu'n frwd â nifer o gyfansoddwyr i'w hannog i roi cynnig ar y gystadleuaeth eiconig oedd ar fin cael ei newid i fformat gwbl newydd.

Roedd Owen yn awyddus i'r gystadleuaeth fabwysiadu naws gwahanol; naws oedd yn ymdebygu i raglen deledu enwog Jools Holland gyda mwy nag un llwyfan, a cherddoriaeth hollol fyw heb unrhyw recordio o flaen llaw. Her uchelgeisiol ond cyffrous, meddyliais. Roedd Huw Chiswell yn rhan o'r tîm cynhyrchu hefyd, cerddor oedd yn gymaint o ddylanwad arnaf. Ac o'r herwydd, ac am y tro cyntaf, fe es ati i ystyried cystadlu. Doeddwn i ddim wedi meddwl am gystadlu o'r blaen a doedd Cân i Gymru ddim yn fy mhen pan drewais i gord A fwyaf glân ar y piano. Fel arfer daw'r cordiau fel cymheiriaid i'r melodi, hynny yn ei dro yn cymell y geiriau a'r stori. Ond y tro hwn daeth y ddwy linell gyntaf fel bollten:

> 'Calon Lân yn llawn daioni.
> Weithie'n galon llawn drygioni.'

'O ble ddiawl ddaeth hwnna?' meddyliais. 'Weithie'n galon llawn drygioni?' Roedd e fel llais rhyw gecryn mewn tŷ tafarn yn dadlau gyda rhywun. Neu falle mai fi oedd yn amau fy hun o waelod ffynnon fy mod. 'Pwy wyt ti'n feddwl wyt ti?' falle, neu 'Pam wyt ti'n cystadlu yng nghystadleuaeth Cân i Gymru?' Ddaeth dim gair arall nes i mi symud trwy gyfres o gordiau oedd bron yn wrthwyneb i'w gilydd. Nid cyfres boblogaidd 1, 4 a 5 ond A fwyaf i D, nôl i A ac wedyn i F. Ie, F, yn union fel petai'r piano wedi sylwi ar y llinell agoriadol yn fy mhen ac wedi manteisio ar y cyferbyniadau yn fy enaid. Rhyw ddeuoliaeth neu bolemig gynhenid ond naturiol.

Fe drodd y pennill cyntaf yn rhyw fath o gytgan o'r cychwyn

ac fe drodd y gân yn gyfangwbl i fod yn afon yn tarddu o'r annisgwyl i mi o ran melodi a rhythmau. Dyw hi ddim wedi bod yn gân hawdd i mi ei chanu erioed. Mae'r alaw weithiau'n heriol gydag A uchel tua'r diwedd a llawer o gordiau'r piano yn 'pushes' rhythmig ac mewn anghytgord pwrpasol â'r llais. Serch hynny, mae'n gân sy'n agos iawn at fy nghalon gan fod Cân i Gymru wedi ei chyflwyno i gynulleidfa ehangach am wn i.

Roedd y cordiau cyntaf am ryw reswm yn gwneud i mi feddwl am Neil Young. Ond fe ddatblygodd hi serch hynny i fod yn gân gyda mwy o ddylanwad blues. Nid yn fwriadol, ond dyna ddigwyddodd. Wy wastad wedi hoffi'r blues, nid fy mod i wedi gwrando'n helaeth ar y genre ond oherwydd y teimlad. Y gwrthgyferbyniad rhwng y llon a'r lleddf, holl liwiau cymhleth bywyd yn un. Roedd y math newydd hwn o gerddoriaeth yn gymaint o symbol o ymateb pobl o dan orthrwm yn America. Wy wastad yn dychmygu pobl yn cwrdd yn gyfrinachol mewn shacks i gicio yn erbyn y tresi. Cicio gyda phob gewyn o ddewrder, nwyd, talent a chelfyddyd. Celfyddyd a wnaeth esgor ar fôr diddiwedd Jazz ac ymlaen i Rock and Roll.

Dyw 'Lili'r Nos' ddim yn gân blues fel y cyfryw. Ond mae elfennau glas ynddi. Roedd hyn yn amlwg o'r cychwyn. Doeddwn i ddim wedi bwriadu i linell emyn enwog fod yn gychwyn iddi, ond dyna ddigwyddodd. Ar ôl esgor ar y geiriau cyntaf ac yna'r cordiau a'r melodïau dilynol, dechreuodd fy meddwl grwydro i fyd rhywun oedd efallai mewn cân blues. Rhywun oedd wedi pechu ac yn chwilio am faddeuant. Person oedd yn dychwelyd adre wrth i'r wawr dorri ac yn edifarhau wrth ei gariad. Ry'n ni i gyd (neu o leiaf lawer ohonom) wedi profi'r teimlad o bechu i wahanol raddau. Ond mae'r unigedd hunandosturiol o ddychwelyd adre'n hwyrach na'r bwriad yn un nerthol. Clywais rywun unwaith yn sôn fel yr oedd amser yn arafach cyn canol nos ac yn cyflymu wedi hynny. Dyna pryd mae'r cloc yn troi'n gloc y diafol. Fel petai hi'n unarddeg yr hwyr am oriau ac yn sydyn reit mae'n bump y bore. Neu'n hwyrach. Dyma oedd byd y cymeriad yn 'Lili'r Nos'. Wrth i'r syniadau hyn droi yn fy mhen wrth y piano, fe gofiais am noson oedd yn ymgorffori'r thema.

Wy'n cofio pan wnaeth Cynog Dafis ennill etholiad a dod yn Aelod Seneddol Plaid Cymru dros Geredigion ym mis Ebrill 1992. Roeddwn yn fyfyriwr ym Mhrifysgol Caerdydd ar y pryd ac wedi dychwelyd adre dros wyliau'r Pasg. Roedd y dathlu tu allan i Neuadd y Dre yn Aberaeron wrth i Cynog gamu allan yn orfoleddus. Yn anhygoel. Roedd Cynog wedi bod yn athro Saesneg arnaf yn Ysgol Dyffryn Teifi ac wedi fy nghyfarwyddo'n gelfydd yn fy rôl Shakespearaidd gyntaf, sef Sieiloc yng nghyfieithiad J. T. Jones o *Marsiandïwr Fenis*. Roeddwn mor falch o'm cyn-athro fel i mi'n naturiol gael fy nghario gan don fuddugoliaethus y dorf fawr yr holl ffordd ar hyd yr A487 i dafarn Glanyrafon, Talgarreg i barhau gyda'r dathliadau. Ym mherseiniau uchel asbri'r noson honno, yn y canu, y chwerthin a'r trafod brwd, sylwais i ddim ar y cloc oedd yn amlwg wedi cyflymu'n ddirfawr wedi hanner nos.

Pan droais tua thre roedd drudwns y wawr oedd yn graddol dorri'n bradychu fy anwybodaeth o'r bore anochel oedd yn cyrraedd. A dim ond bryd hynny y meiriolodd y realaeth yn fy mhen niwlog. Roeddwn i fod i weithio'r bore hwnnw yn y ffatri wyau yn Rhydlewis! Roedd yn waith yr oeddwn wedi cychwyn arno fel myfyriwr i ennill ceiniog neu ddwy yn ychwanegol. Diolch i Mam oedd yn barod, tra'n cuddio'i gwg gyda gwên feddal, i fy nghludo i'r ffarm y bore hwnnw. Fy swydd i oedd trefnu'r wyau yn ôl eu maint yn y blychau penodol. Wel, fel petase'r ffowls yn ymwybodol o lwyddiant Cynog y noson cynt, fe benderfynon nhw ddodwy fel mellt y bore hwnnw, a'r wyau'n rholio fel meini crynion i lawr y biben tuag ataf. Gyda'r chwys yn pefrio o'n nhalcen, ceisiais fy ngore glas i ddidoli'r wyau i'r bocsys cywir. Ond roedd y rhesi o wyau yn ymgasglu o fy mlaen fel torf y tu allan i Barc yr Arfau ar ddiwrnod gêm Cymru a Lloegr. Erbyn i mi orffen fy shifft, roedd yna doreth o beli bach melyn yn edrych lan arna i'n gyhuddgar o'r llechen las dan fy nhroed. Nosweithi tebyg a brofodd y cymeriad yn 'Lili'r Nos'.

Fe ddaeth y gân yn sydyn i mi; baled braidd yn hir. Ond weithie dyna natur baled. Rhagarweiniad cordie a alle fod yn fyrrach. Ond yn stori fach ynddi'i hun yn fy meddwl i. Felly fe wnes i ei gadael fel yr oedd hi. Stori am un sy'n dychwelyd wrth i'r wawr dorri drwy'r düwch. Y pechod yn gofyn am faddeuant. Y ddeuoliaeth hon sy'n britho'n bywydau, a sawl un o fy nghaneuon. Y teitl sy'n ymgorffori'r ddeuoliaeth hon wedyn, Lili, blodyn gwyn neu liwgar yn cyferbynnu â'r düwch. Roeddwn yn ymwybodol ei bod hi'n gân braidd yn hir (dros bum munud) a bod hynny'n gabledd ym maes y 'three minute pop song'. Ond weithie yn fy ngyrfa, yn enwedig pan oeddwn yn ifanc, mi fyddwn i'n bwrpasol yn dilyn fy ngreddf ac yn ysgrifennu beth oedd yn naturiol. Roedd baledi'n wreiddiol fel newyddiaduriaeth y dydd neu'n debyg i ganeuon Sean-nós yn nhraddodiad Iwerddon. Ac i'r sawl sydd ddim yn gyfarwydd â rheiny, maent yn gallu para am hanner awr!

Wy wastad wedi bod yn ymwybodol fod llu o draddodiadau gwahanol o ganu a chyfansoddi caneuon tu hwnt i'r tair munud. Traddodiadau fel opera er enghraifft, lle mae cyfleu stori'n bwysig. Neu ambell i faled hir gan Bob Dylan yn dadlennu stori'n gelfydd yn ei ffordd ddihafal. Gellid dadlau fod y traddodiad o ysgrifennu cân tair munud wedi esblygu o'r angen am hysbysebion ar orsafoedd radio masnachol. Mae cân bedair munud yn tynnu ar ddau hysbyseb, a chân pum munud yn colli gormod o arian i'r orsaf. Un rhyfedd yw'r byd lle mae diwylliant a ddaeth o ganu gwerin a blues, lleisiau pobl dan orthrwm yn erbyn y system, erbyn hyn wedi ei faglu gan yr union system honno. Wy wrth gwrs yn rhagrithiwr yn yr ystyr hwn gan fy mod, wrth dyfu'n hŷn, yn anymwybodol wedi dechre ysgrifennu o fewn eiliade weithie i dair munud Greal Sanctaidd y gân bop ddelfrydol. Ar ôl cwblhau 'Lili'r Nos' a'i recordio, danfonais y gân i swyddfa'r gystadleuaeth ac o fewn rhai wythnosau cefais wybod fy mod wedi llwyddo i gyrraedd y rownd derfynol.

Roedd y rhaglen yn cael ei recordio'n fyw yng Nghanolfan yr Afan Lido, Aberafan ar Ddydd Gŵyl Dewi, a sylweddolais bryd hynny y byddai hyn yn cyd-daro â chyfnod ffilmio cyfres ddrama *Caerdydd*. Cefais gyfarfod gyda'r criw cynhyrchu ynglŷn â'r trefniant fyddwn i'n ei ddymuno. Ac ar y pryd teimlais y byddai cael cyfeilydd yn ddelfrydol gan y byddwn ynghanol y cyfnod ffilmio prysur hwn, a gwell fyddai gen i ganolbwyntio ar ganu'r gân yn unig. Serch hynny, roedd Huw Chiswell o'r farn (ac yn llawn perswâd) y byddai'n well petawn i'n cyfeilio fy hunan. Ac erbyn hyn, wy'n deall mai ef oedd yn iawn. Ond ar y pryd, roedd y gân mor ffres ac yn gymaint o dasg i'w chanu fel bod ei pherfformio yn unig yn teimlo'n ddigon o her ynddi ei hun.

Mae hawlio a chofleidio cân, hyd yn oed un yr ydych chi eich hun wedi ei chyfansoddi, yn cymryd amser. Wy'n cofio clywed Christy Moore yn dweud rhywbeth tebyg. Yn ddelfrydol, mae 'na broses, cyfnod o gigio cân a'i pherfformio'n sydyn. Weithiau ar ôl un noson, mae'n dod yn rhan ohonoch, yn rhan o fêr eich esgyrn. Ar ôl cytuno i'w chanu wrth y piano, roeddwn yn ymwybodol y byddai'n rhaid i mi ei hymarfer nes ei bod hi'n dod yn ail natur. A dyna a wnes i. Roedd y ffaith y byddwn i ynghanol cyfnod ffilmio prysur ar yr un adeg yn golygu y gallai amser fod yn brin, ac felly, fe es i ati'n gynnar.

Mae 'na ddarn offerynnol ar y piano ynghanol y gân a fyddai'n gallu bod braidd yn anodd. Rhyw gymysgedd o arpejios a chordie'n symud i lawr yr allweddellau. Rhagdybiais y byddai hwn fel ffens fawr mewn ras geffylau ynghanol y gân. Fel Becher's Brook yn y Grand National, roedd yn rhaid i mi ei hoelio. Yn y cyfnod yn arwain at y gystadleuaeth, byddwn yn mynd at y piano gan ymarfer y darn hwn nes medrwn i ei chwarae ar ddwbl y cyflymdra gyda'm llygaid ynghau. Ar ôl hynny, teimlwn yn weddol hyderus ei bod ym mêr fy esgyrn.

Pan gyrhaeddodd y cyntaf o Fawrth, roeddwn yn eitha nerfus ac yn llawn cyffro. Mae perfformio'n fyw yn rhywbeth cyfarwydd i mi. Roeddwn wedi perfformio droeon am ddwy awr neu fwy mewn cyngherddau a gwyliau di-ri, weithiau i gynulleidfaoedd o dros fil o bobl. Roeddwn unwaith wedi perfformio trioleg Alexander Cordell yn ei gyfanrwydd mewn dathliad ddydd a nos yng Nghlwyd Theatr Cymru – bron i naw awr o theatr yn ddiderfyn. Ond roedd hyn yn wahanol – un gân o flaen cynulleidfa fyw yn y ganolfan, a miloedd o flaen y teledu. Un gân newydd, ffres, heb ei pherfformio na'i naddu a'i chaboli gan dri neu bedwar gig. Dim ond un gân fach. Dim ond un cyfle.

Roedd y gystadleuaeth yn frith o artistiaid roeddwn yn eu hedmygu a'u parchu. Dyna i chi Amy Wadge, oedd wedi dysgu'r Gymraeg a chyfansoddi cân yn ei hail iaith, ac sydd erbyn hyn wedi datblygu i fod yn un o gyfansoddwyr caneuon mwya blaengar y byd. Dyfrig Topper Evans, sydd yn parhau i fod yn un o gyfansoddwyr gorau Cymru. A Geraint Griffiths, eicon y gystadleuaeth ac un o brif leisiau'r genedl.

Roeddem i gyd yn nerfus. Roedd e fel bod mewn stafell aros deintydd yn gwybod fod sawl dant yn dod mas. Pobl yn brasgamu ar hyd coridorau, smocio, pawb yn sgwrsio a chwerthin yn nerfus. Ond yn fwy na dim yn cefnogi ein gilydd. Roedd teledu yn y stafell werdd a phawb yn gwylio perfformiadau ei gilydd ar y sgrin fach yn ymwybodol fod pob nodyn, pob brawddeg yn fyw o flaen y genedl. Mae rhai yn feirniadol o'r gystadleuaeth. Ond fe alla'i ddweud fel perfformiwr eitha profiadol mai dyma un o'r pethau anodda i mi ei brofi erioed. Ac yn fy nhyb i, roedd pawb oedd yno'n haeddu medal neu fwy. Ar ôl gweld Amy a Dyfrig yn hoelio'u perfformiadau'n wefreiddiol, daeth fy amser i gamu i'r llwyfan. A dyma ble mae'r broses yn dwysáu. Aros am bum munud tra bod y perfformiwr o'm blaen yn canu. Yna camu i'r llwyfan mawr llachar a glitzy, eistedd wrth y piano gyda'r band, Wal Thomas, Ryan Aston a Christian Phillips a oedd, wrth edrych nôl, fel braich gadarn o gefnogaeth o'm cwmpas gyda'u gallu anhygoel. Rhaid wedyn oedd aros a gwylio darn o gyfweliad roeddwn wedi ei ffilmio gyda Huw Chiswell rai wythnosau'n gynt, hynny ar sgrin anferth oedd tu ôl i'r piano.

A dyna pryd dorrodd chwys ar gledrau fy nwylo. Yr un chwys a dorrodd ar dop yr Wyddfa flynyddoedd cyn hynny. Yr un chwys a ffrwydrodd pan oeddwn ar ben to'r Felin tra'n labro gyda'm Wncwl Elfed yn ddeunaw oed. Chwys! Chwys! Chwys! Hynny tra'n gwylio'r delweddau ar y sgrin fawr grand. Ac yna, wrth i'r ddwy funud ymlwybro'n araf a phendant tuag at eu terfyn, cofiais mai fi oedd yn cychwyn y gân gyda'r rhagarweiniad hir a ysgrifennais. Daeth bollt o lais atseiniol ataf yn y tri deg eiliad olaf ...

'A mwyaf, safle cyntaf... A mwyaf, safle cyntaf... A MWYAF, SAFLE CYNTAF!'

Cord syml yn ei safle gwreiddiol a hawdd. Ond yng nghanol y chwys ar fysedd ffarmwr o Geredigion, roedd e'n teimlo fel her eithriadol. Teimlwn fel rhyw lwmpyn o West Welian, rhyw labwst yn trio gwthio edau drwy lygad nodwydd. Wrth i'r eiliadau bylu, roedd yna is-gyfarwyddwr yn ystumio'n amneidiol gyda'i fysedd yntau tu ôl i'r llenni... Tri ... Dau ... Un ... Rhaid nawr oedd taro'r darnau bach o bren gwyn o dan fy mysedd gwlyb.

Roedd y cord cynta'n gysur. Sŵn grand piano safonol, sain braf wedi ei gymysgu'n broffesiynol yn y neuadd fawr. Yna, pan symudais o gord A i F, teimlais ryw chwa o hyder, rhyw ymateb i naratif y gerddoriaeth a beth oedd hwnnw'n ei olygu i mi. Pan ddechreuais ganu'r pennill cyntaf, roedd y sŵn atseiniol yn fy nharo ac yn fy atgoffa fod y peirianwyr sain wedi rhoi monitor mix arbennig o dda i mi. Yna, pan ddaeth y band i mewn roeddent fel clawdd cynnes o gysur o amgylch fy mherfformiad, caer fel clogwyn Siôn Cwilt ar draethell Cwmtydu slawer dydd. Dechreuais fwynhau wedi hynny. Hynny yw, nes daeth y pennill offerynnol. Yn sydyn, daeth delwedd i'm dychymyg o hen geffyl esgyrnog eiddil yn hercian tuag at Becher's Brook ar gwrs Aintree. Shot tracio'r BBC yn ymlwybro nôl yn fwriadol i ddatgelu maint y ffens o flaen y ceffyl bach. 'Hoela hon, a fyddi di gartre,' meddai'r llais yn fy mhen. Edrychais lawr ar yr allweddell oedd yn fflachio o dan y golau uwchben a chofiais am y dyddie o ymarfer gyda fy llygaid ar gau. Neidiais i'r pennill a llwyddo'n ddigon da i fynd drwyddi! Roedd gweddill y gân yn bleser. Roedd y ffens olaf wedi ei neidio a'r postyn terfyn o fewn golwg. Daeth y diwedd, ac ar ôl cyrraedd yr A uchel olaf roeddwn i gartre.

Bues i'n ddigon ffodus i ennill Cân i Gymru yn 2006. Bues

i'n ddigon lwcus i gael pleidlais fawr y gorllewin y tu ôl i mi. Roedd nifer o ganeuon yn haeddu'r wobr, a dyna oedd wedi fy nharo'r flwyddyn honno. Mae'n brofiad unigryw. Wrth dderbyn y tlws a'r siec o £10,000, holwyd fi beth fyddwn i'n wneud 'da'r arian? Gwyliau neu gar newydd? Yn fy nghyflwr sigledig, cofiais fod wal talcen y tŷ wedi troi'n swp o damprwydd y gaeaf hwnnw a dyma fi'n ateb, 'Wel, ma angen trwsio'r wal damp ar dalcen y tŷ'.

Mi fuodd y wobr yn help mawr inni. Serch hynny, yr hyn a brofodd Cân i Gymru'n bennaf – ynghyd â'r ffaith fy mod i wedi rhannu llwyfan gyda cherddorion a chyfansoddwyr o'r radd flaenaf – oedd ei bod hi'n hynod bwysig bod yn barod pan fo raid perfformio un gân newydd mewn awyrgylch mor afreal ac ar achlysur mor unigryw. Ta beth yw barn pobl am gystadleuaeth fel Cân i Gymru, roedd Owen Powell a'r criw'r flwyddyn honno wedi bod yn uchelgeisiol wrth benderfynu creu rhaglen gwbl fyw. Os alla'i ddweud unrhyw beth wrth berfformwyr ifanc, paratowch gymaint ag sy'n bosib. Os fyddwch chi'n perfformio darn heriol ar offeryn, paratowch yng nghysur eich cartref clyd, tu hwnt i bwysau llwyfan eang, goleuadau llachar a chynulleidfa fawr. Gwnewch eich hunain mor gyffyrddus â phosib cyn camu i'r llwyfan; oherwydd ar y llwyfan, efallai y bydd cledrau eich dwylo'n wlyb diferol. Neu falle cewch chi'r teimlad o farchogaeth yn y Grand National.

Erbyn heddiw, mae 'na lawer sy'n gofyn am 'Lili'r Nos' mewn gigiau. Weithiau mi fydda i'n hepgor y rhagarweiniad hir gan fy mod i wedi treialu'r gân droeon, ac mae 'na gryfder trawiadol i gychwyn y pennill yn syth. Ta beth am hynny, mae'n gân sy'n agos at fy nghalon am resymau lu. Mae'r ddeuoliaeth rhwng pechod ac edifeirwch wastad yn fy nghalon wrth ganu'r llinell gyntaf. Weithie mae'n braf meddwl am eich hunan fel rhyw John Lee Hooker mewn cyngerdd yn Aberteifi. Ond yn anad dim, wrth daro'r cord cyntaf ar y piano, mae'r profiad gefais i ar y cyntaf o Fawrth 2006 wastad yn dod i'r cof. Erbyn hyn, serch hynny, wrth ei pherfformio, does dim chwys ar fy mysedd ... ddim fel arfer.

11.

Banjo

Yn nüwch nos
Yn nannedd gwyn direidi
Daw sŵn tant offeryn nwyd
I dorri'r du.
Yn wrthun i barchusrwydd
Yn barch i'r blagard, bois y bac a'r rebel,
Yn Fanjo,
Yn dwyn o'r nos
Y lleuad yn llawn a'r llinynnau lleddf yn un â'r llon,
Yn felltith golau i'r chwerthin cudd.
Y chwarae'n chwerwi wrth gor-fynnu
Ei fodolaeth
A'r tannau'n ddannedd brathu yn y bore,
Ein Banjo.

Fe or-redaist dy rawd
Wrth geisio dal y tonnau,
Y bigyrnau yn fannau gwaharddedig i'n Banjo bach,
Yn fannau lle na fynnwn dy fod
Er dy chwarae,
Dy ddiwedd adnod.

A minnau wedyn
Yn gweld y ci bach
Yn bac y car,
Yn ddiniwed ond yn ddrwg.
A minnau'n ceisio
Priodi'r rhesymedig un a fy nghalon wan
Ddireidus
Priodas ffôl,
Drwy fur filfeddyg addfwyn a chall.
Mur fy nghalon,

A'r nodwydd ola'n cnoi am y tro diwetha
Wrth i'r lleuad lawn ddychwelyd i'r lleuad newydd yn dy lygaid,
A sŵn y tannau'n torri'n dawel yn fy nghalon.
Ein Banjo bach.

Banjo

Chwe blynedd yn ôl, fe gludais gi bach, mab i gŵn fy chwaer, yn ôl o Gastellnewydd i An Rinn, Iwerddon. Mwngrel o wylltineb a chariad drygionus du oedd hwn. Rhaid oedd ei enwi'n Banjo. Wrth iddo dyfu, fe ddatblygodd cymeriad oedd yn goctel o gariad, addfwynder, anufudd-dod a direidi. Yn gynnar byddai'n ymateb i'n hymdrechion ni i'w hyfforddi. Ond roedd iddo ochr arall. Roedd yn un oedd â nwyd y ddaear ynddo. Fe wnâi gwrso unrhyw beth. Ci teiars go iawn. Ie, teiars car, beic, tractor – unrhyw beth. Ar y traeth, mi fyddai'n rhedeg yn ddiflino ar ôl y tonnau oedd yn torri'n hir ar y lan, a byth yn blino arnynt. Mi fyddai'r brwdfrydedd hwn yn troi fel mellten at goesau ceffyl neu garnau buwch. Unrhyw beth cyflym, unrhyw beth oedd mor gloi â'i galon yntau. Yn anffodus, mi fyddai bigwrn y postmon neu goes Sean McGill y ffarmwr yn gwneud y tro. Roedd e hefyd yn hoff o grwydro.

Un noson, ar ôl perfformio gyda band mewn priodas yr ochr draw i ddinas Corc, dyma fi'n dychwelyd adre am dri o'r gloch y bore i ddarganfod bod Banjo wedi dianc. Treuliais oriau yn chwilio'r pentre yng ngolau'r lleuad gyda'r gobaith o weld fflach o'i frest wen yng nghanol y ffwr tywyll. Ond heb lwyddiant. Dim ond yng ngolau'r haul fore trannoeth y gwnaeth e ddychwelyd yn ei amser ei hun fel petai dim wedi digwydd, yn union fel petai wedi bod mas ar y pop gyda'i ffrindie ac yn dychwelyd gyda gwên ar gam direidus.

Droeon ar ôl y crwydro cyntaf hwnnw, mi fyddai'n ymweld â phawb a phobman. Byddai'n gyffredin i ni dderbyn galwad ffôn gan gymydog, y siop leol neu hyd yn oed yr ysgol. Un tro hysbyswyd ni bod Banjo yno yn ymuno mewn gêm o hurling. Y gwaethaf oedd pan fentrodd i'r eglwys yng nghanol yr offeren ar fore Sul gan frasgamu tuag at yr offeiriad wrth yr allor. Roedd pethau'n gwaethygu.

Un tro, a Mam a Dad ar wylie yn Iwerddon gyda ni dros yr haf, dyma Banjo'n dwyn dannedd dodi 'nhad. Roedd Dad wedi eu gadael ar dashboard y car, y drws yn agored a'r danne'n disgleirio'n bert yn yr haul. Yn sŵn Dad yn gweiddi bod y dannedd wedi 'costi ffortiwn', a Mam a Moira (fy mam yng nghyfraith) yn chwerthin yn ddi-stop, roeddwn innau yn gorfod cwrso ar ôl Banjo ar hyd y caeau ger y tŷ. Roeddwn i'n poeni am werth y perlau gwynion ond hefyd yn gorfod dal fy mol wrth chwerthin o weld ceg y ci. Doeddwn i ddim erioed wedi gweld cyfuniad perffaith o gi a Ken Dodd yn fy myw! Ta beth, wrth golli amynedd â'r cythrel bach dyma fi'n gweiddi ar dop fy llais, 'Baaaaannnjooooo!'. Fel petai e'n gwybod ei fod wedi gor-gamu dros ffiniau drygioni, dyma fe gyda'r amseru comic perffaith yn stopio ac yn poeri'r dannedd i'r borfa fel petai e am reoli diwedd y sgets.

Mae gen i nifer o atgofion am anifeiliaid anwes yn ein cartref. Roedd gennym ast fach o'r enw Sandi slawer dydd. Cocker spaniel fach frowngoch blewog oedd â'r gallu rhyfeddol o fynd dan draed. Yn aml mi fydden i'n clywed mam yn dod mewn o'r siop ac yn baglu dros y ci bach oedd yn hofran wrth ddrws y bac. 'Mas!' fydden i'n clywed o bell, a Sandi fach yn bolltio trwy ddrws y bac a dianc i'r ardd.

Un tro daeth cefndryd i ymweld â ni yn Ffostrasol, perthnasau oedd ddim yn medru'r Gymraeg. Roedd hi'n ddiwrnod prysur yn y siop a ninne'r plant ar ein gwylie ysgol. Mi fydde hyn yn bwysau mwy ar Mam ar ddiwrnodau prysur. Ac i bawb sy'n ei nabod, mae hi fel arfer yn un o'r menywod mwya amyneddgar yn y byd. Serch hynny, y diwrnod hwnnw roedd lot ar ei phlât. Roedd lori Jones & Davies o Landysul wedi cyrraedd â llwyth o lysiau ffres. Roedd hi hefyd yn ddiwrnod pensiwn. Ar ben hyn, roedd pedwar o blant yn y tŷ yn holi am hyn a'r llall ac roedd Mam nôl ac ymlaen rhwng y siop a'r tŷ fel io-io.

Rhwng y tŷ a'r siop, roedd yna gyntedd bychan wrth ddrws y bac oedd yn gyffordd rhwng pedwar coridor â drysau. Ar y diwrnod hynod brysur hwn, roedd Sandi wedi llwyddo i fynd dan draed fwy na'r arfer. Bob hyn a hyn, byddwn yn clywed bloedd o 'Mas!' drwy'r tŷ, a sŵn drws y bac yn cau'n glep. Yna byddai un o'r cefndryd yn agor y drws a gadael y ci nôl i mewn.

'Mas!' arall wedyn wrth i Mam faglu. Ac fel yna fuodd hi am ryw hanner awr tan i Mam ddanfon y ci o'r tŷ dan storom o 'MAS!', a chloi'r drws ar ei hôl. Mewn rhyw hanner awr arall, roedd fy nghefndryd yn chwilio am y ci. A dyma nhw'n dod ata'i a gofyn, 'Where's Mas gone? Have you seen Mas anywhere? We can't find Mas anywhere.' Roedd Sandi druan wedi cael enw newydd!

Pan oedd Dad yn gweithio yn yr R.A.E. yn Aberporth, roedd ganddo gydweithwyr oedd yn gymeriadau a hanner. Bois oedd yn joio tynnu coes, cymeriadau fel Alan 'Salad' Evans, Gari Morgan a Cefin Evans. Yn y dyddie hynny, roedd gen i bwji bach glas o'r enw Benji. Roedd e'n dipyn o gymeriad. Yn dderyn brolgar, llawn sŵn a thrydar weithie, yn barod â'i big i gnoi bys wrth y caetsh ond yn gwmni da. Weithie, fydden i'n ei adael allan o'i gawell i gal mestyn ei adenydd ac i arddangos ei blu. Mi fyddai wrth ei fodd yn hedfan o'r llenni i'r silff ben tân. A weithie'n hedfan nôl a glanio ar fy mhen.

Un bore serch hynny, roedd y glwyd ger to'r gawell yn wag. Ble oedd Benji? meddyliais wrth gamu i'r gegin. A dyna olygfa. Roedd fy nghyfaill bach plufiog wedi cwympo o'i echel am y tro olaf. Roedd Benji druan wedi marw. Agorais y drws bach o fariau tenau a gafael ynddo am y tro olaf. Roedd ei lygaid ar gau a tholc ym mhlu ei dalcen lle roedd wedi bwrw'r llawr. Roeddwn i'n grwt ifanc wedi fy ypsetio'n lân, a'r peth cyntaf i mi wneud ar ôl sôn wrth Mam a Tres oedd ffonio Dad yn y gwaith. Ar ôl clywed fy mod i o dan deimlad, dyma fe'n trio fy nghysuro ac ar ôl rhoi'r ffôn i lawr, dyma fe'n troi at ei gyfoedion mewn difrifoldeb mawr gan ddweud, 'Ma Benji'r bwji wedi marw'. Y bore trannoeth yn y gwaith, roedd y gweithwyr i gyd wedi mynd ati i wisgo rhwymynnau braich du fel arwydd o barch i'r deryn bach glas!

Er ein bod ni wedi cael amrywiaeth o anifeiliaid anwes lliwgar a diddorol, doedd yna'r un mor wyllt na drygionus â Banjo. Roedd hi'n amhosib ei ddofi. Yn amhosib ei newid. Ceisiais fy ngore ar ôl darllen llyfrau a gofyn am gyngor ar sut i'w hyfforddi a sut i ddofi'r diawl bach. Ond roedd yn amhosib. Weithie, mi fydden i'n cael cyfnod o lwyddiant. A'r nesaf bydde Banjo bant lawr yr hewl tra'n rhoi un edrychiad drwg a heriol nôl ata'i. Fe wnaeth hyn hi'n anochel i ni orfod gosod weiren arbennig o amgylch yr ardd a choler rhybudd o amgylch ei wddf i'w stopio rhag dianc.

Yn anffodus, ni fu'r mesurau hyn yn ddibynadwy. Ac o fewn pythefnos i'w gilydd, bu dau ddigwyddiad anffodus. Yn gyntaf, fe wnaeth Banjo ddianc wrth weld ci arall ar yr hewl. Aeth i ymrafael â'r ci a'i berchennog. Bygythiodd y dyn alw am y Warden Cŵn. Yr hoelen olaf oedd pan wnaeth Banjo gnoi rhywun lleol. Nid yn or-ffyrnig ond mewn ffordd adweithiol. Serch hynny, doedd y digwyddiad ddim yn eithriad. Er na fu erioed yn gas, roedd symudiadau cyflym beic, car, ton neu goes yn ddigon i'w wylltio. Yn dilyn cyngor sawl milfeddyg, ac oedi ar ein rhan allan o gariad tuag ato, roedd yn rhaid gweithredu.

Deuddydd yn ddiweddarach, yn groes i'm greddf naturiol, bu'n rhaid i mi dywys Banjo at y milfeddyg lleol a'i roi i gysgu. Dyma fu un o orchwylion mwyaf anodd fy mywyd. Fe wnaeth Banjo frwydro'n ddireidus tan yr eiliadau olaf wrth i mi afael ynddo nes i natur y chwistrelliad marwol orfodi iddo ildio. Roeddwn i wedi trio popeth ond yn methu peryglu diogelwch unrhyw un ddim pellach. Yr hyn sy'n anodd yw cydbwyso'r elfennau gwyllt oedd yn yr hen gi a'r cariad anorchfygol oedd ganddo hefyd, yn enwedig tuag at ein plant. Wrth feddwl amdano nawr, mae'r boen yn dal yn boeth yn fy ysgyfaint ond y chwerthin a'r hapusrwydd hefyd yn rhan fawr o'i gofio. Daw geiriau James Clarence Mangan i gof o'i gerdd 'The Nameless One':

'Tell thou the world, when my bones lie whitening,
Amid the last homes of youth and eld,
That once there was one whose veins ran lightning,
No eye beheld.'

Roedd Banjo yn un ohonom ni fel teulu, yn rhan o fagwraeth y merched. Yn bresennol bob bore, yn warchodwr pan oeddwn i ffwrdd o gartre, yn arsylwr brwd ar fore Nadolig, yn gwmni gyda'r nos. Ro'n i'n ei garu. Daeth diwedd ei ddyddiau yn ystod ysgrifennu'r llyfr hwn. Mae nodau cân yn cychwyn yn fy mhen, cordiau ei ddireidi. Ond hyd yma does dim cân. Fe ddaeth un bore serch hynny chwa o eiriau fel un stribyn. Wrth edrych arnynt nawr, maent yn glwstwr o ddelweddau digyswllt sydd yn gyfuniad o gyflythreniad a rhythmau ei fywyd. Efallai ar ôl hyn i gyd y daw cân ohonynt. Rhyw ddiwrnod fe wna'i eistedd â'r geiriau o fy mlaen wrth y piano, neu gitâr yn fy llaw ... neu hyd yn oed banjo. Bydd, mi fydd rhaid iddi fod yn gân ar y banjo. Offeryn amrwd, ddim at ddant pawb ond yn mynnu ein sylw. Offeryn fydd yn tynnu ein sylw at y gân. Roedd ein Banjo bach ni yn gân ynddo'i hunan.

12.
Dada

I heard where the corn is green
Pit prop stories and I've seen
The Bible black clouds showing me where you've been,

And I've stood at the altar and pew,
Sung the hymns that you sang too,
Sat in chairs of bards that were crafted by you,
By you

Dada, hear your two boys sing,
If we could, a drink we'd bring
And make it three in the Red Cow Inn
You could spin a yarn or two,
Tell us stories that we never knew,
The oak is old but this branch is new.

Now I'm stood, I'm looking on,
Things that you left, some of them gone,
But your music's here, in my soul of song,
My soul of song.

Dada, hear your two boys sing,
If we could, a drink we'd bring
And make it three in the Red Cow Inn.
You could spin a yarn or two,
Tell us stories that we never knew,
The oak is old, but this branch is new.

Can you hear the ages sing?
Can you hear the two boys sing?

Can you hear the ages sing?
Can you hear your two boys sing?

Ray a fi

Tua mis Mawrth 2012, rhyw wyth mis ar ôl i ni symud i Iwerddon, roeddwn mewn siop yn Dungarvan pan ganodd y ffôn yn fy mhoced. Atebais, a chlywed llais dyn ag acen Birmingham. 'It's Ray,' meddai. Ac ar unwaith roeddwn yn ei nabod. Pan oedd fy mam yn un ar bymtheg oed, roedd hi wedi gadael Llandyfrïog a symud i fyw i Birmingham er mwyn chwilio am waith. Fe aeth i fyw gyda theulu ei hewythr Morlais, neu Tom fel y cai ei adnabod erbyn hynny, a threuliodd rai blynyddoedd yno yn y ddinas fawr. Roedd ei chefnder Ray yr un oed â hi ac roeddent yn ffrindiau agos. Ar y pryd, doedd hi ddim yn ymwybodol y byddai Ray mewn rhai blynyddoedd yn ffurfio un o grwpiau roc mwya llwyddiannus y 60au a'r 70au, The Moody Blues. Roedd recordiau'r grŵp gyda ni yn y tŷ yn Llechryd. Wy'n cofio'r cloriau lliwgar, a wy'n cofio hefyd luniau o Ray â'i fwstash nodweddiadol.

Mae Mam yn berson tawel o'i chymharu â ni i gyd. Mae hi'n fenyw synhwyrol, gariadus sy'n cadw llong ein teulu i hwylio'n esmwyth. Yn ei ffordd ystyrlon a dihafal, mae wedi bod yn angor i ni i gyd. Dyw hi ddim mor ymroddgar â'r gweddill ohonom i rannu stori. Ond o dro i dro, mi fyddai'n sôn am ei chyfnod fel merch ifanc yn mentro i ddinas fawr Birmingham ac wedyn ymlaen i Lundain am gyfnod. Fe wnâi hi sôn weithiau am Ray fel cefnder cyfeillgar, direidus ac un oedd yn gofalu amdani pan symudodd o gefn gwlad Cymru.

Mae Mam wedi sôn droeon am ei hatgofion am Ray yn cychwyn yn gyntaf grŵp o'r enw El Riot and the Rebels ac yna mlaen i ffurfio'r enwog Moody Blues. Cyfnod ieuenctid oedd hwn pan oedd cerddorion fel Ray, John Lodge, Denny Lane a Justin Hayward ddim ond yn gryts ifanc yn arbrofi gyda'u cerddoriaeth mewn stafelloedd ymarfer ac yng nghartrefi ei gilydd. Mae'n anhygoel i feddwl fod Mam yno yn ei chanol hi wrth i gyfnod o gerddoriaeth arbennig flaguro.

Yn ôl yn y siop yn Dungarvan, clywais lais Ray a'i gofio'n syth. Roeddwn wedi ei gyfarfod pan oeddwn i'n blentyn a hefyd pan oeddwn yn fyfyriwr ym Mhrifysgol Caerdydd pan wnes i fynd i un o'u cyngherddau yn y Motorpoint Arena. Nawr, roedd ar ben arall y ffôn o'i gartref yn Leatherhead tu allan i Lundain. Roedd e wedi cael gafael ar fy albwm diweddara, *Last of the Old Men*. Am ryw awr, cerddais loriau'r siop yn Dungarvan yn trafod fy nghaneuon gyda seren roc byd-enwog. Roedd pobol yn brysur yn siopa o'm cwmpas tra mod i mewn byd arall yn sgwrsio am gerddoriaeth. Rhyfedd o fyd! Awr o gerdded a sgwrsio fel petase'r siop ddim yn bod. Roeddwn i yn Nhir na nÓg, yn falch o gael geiriau o gefnogaeth fy nghefnder draw dros y môr.

Ray oedd chwaraewr ffliwt y Moody Blues. Mae ei ddarn offerynnol enwog ar y gân 'Nights in White Satin' yn cael ei gydnabod fel un o ddarnau ffliwt arloesol prog rock. Fe ysgrifennodd ganeuon enwog fel 'Legend of a Mind' ymysg eraill hefyd a hyd heddiw mae ganddynt ddilynwyr lu sy'n fyd-eang. Ar ddiwedd ein sgwrs ffôn, fe wnaeth Ray estyn gwahoddiad i'w barti pen-blwydd yn 70 oed yn gynnar yn yr haf. Fe gynigiais fy mod yn dod gyda'r cerddorion Hugh O'Carroll ac Evan Grace, o'r grŵp Mendocino, gan ein bod teithio yng Nghymru a Lloegr yr un pryd. Ac yn haf cynnar 2012, fe deithiodd y tri ohonom i gyrion Llundain i'r parti.

Wrth gyrraedd y tŷ mawr, y peth cyntaf a sylwais oedd bod baneri Cymru wedi eu paentio ym mhileri'r gatiau a chynllun o ddraig fawr yn rhan o gerfluniaeth ddur y gât. Roedd Mam eisoes wedi sôn wrtha'i bod Ray yn falch iawn o'i wreiddiau Cymreig er ei fod wedi ei godi tu hwnt i'r ffin. Ac wrth yrru drwy'r clwydi haearn, roedd darn ohonof yn syth yn teimlo cysylltiad gyda Ray, a darn arall ohonof yn teimlo fod Llandyfrïog yn rhan o'r tir hwn y tu allan i Lundain.

Wedi cwrdd â Lee, gwraig Ray, wrth y drws, camodd y tri ohonom i'r tŷ a sylwi ar y recordiau platinwm lu ar y muriau. Ond yr hyn a dynnodd fy sylw mwyaf oedd Cadair Farddol Gŵyl Fawr Aberteifi o'r 50au yn ein croesawu i'r tŷ. Dyma gadair a saernïwyd gan fy hen dad-cu, Tom Thomas o Landyfrïog, ac a enillwyd gan T. Llew Jones. Fe gytunodd T. Llew i Ray ei phrynu am bris teg gan ei fod mor frwdfrydig, a'i fod yntau yn edmygwr mawr o grefft fy hen dad-cu, neu Dada, fel roedd y teulu'n ei adnabod. Roedd gan Dic Jones un o'i gadeiriau hefyd, un a ddisgrifiodd mewn rhaglen ddogfen fel un o'i ffefrynnau. Dyma ni yn camu i dŷ yn swydd Surrey a darn pwysig o hanes a diwylliant Ceredigion a fy nheulu yn ein cyfarch. Roedd y noson yn argoeli'n dda.

Fe wnaeth Lee ein tywys i ehangder y lawnt yng nghefn y tŷ lle roedd pabell fawr wedi ei chodi. Yno eisteddai Ray mewn crys T a jîns yn sgwrsio ymysg ffrindie. Roedd ei iechyd wedi dirywio ac roedd yn rhaid iddo ddefnyddio ffyn i gerdded. Ond pan welodd e fi a'r bois, fe gododd a'm cofleidio. Yn nes ymlaen, fe chwaraeodd ein grŵp set o tua hanner awr. Ac ar ôl hynny, eisteddais gyda Ray i gael sgwrs. Wy ddim yn credu inni stopio siarad am dros awr o leia. Teimlais fel petaen ni wedi nabod ein gilydd erioed. Teimlais gyfeillgarwch ac ymdeimlad cryf o berthyn yn syth. Roedd yn fachan o'r gorllewin heb os yn fy nhyb i. Er bod ganddo acen Birmingham, roedd ei hiwmor, ei lygaid direidus a'i archwaeth am stori yn llinyn syth yn arwain yn ôl i dde Ceredigion. Roedd ei wybodaeth am hanes ein teulu yn atgyfnerthu hyn hefyd. Gwybodaeth lawer ehangach na fy un i, fel petai'r rhamant a'r awydd i gysylltu gymaint yn gryfach o fod wedi byw yn bell o'r cartref ysbrydol. Ac roedd y storïau'n frith ac yn dda!

Yn ganolog i'r rhain oedd hanes Dada – ei dad-cu a fy hen dad-cu innau. Roedd Tom Thomas, er yn wreiddiol o Gastellnewydd, wedi symud fel llawer eraill i feysydd glo'r de ac i bentre Glyncorrwg yng Nghwm Afan. Bu, yn ôl Ray, yn dipyn o focsiwr. Ond yn anad dim, pan ddychwelodd e, ei wraig (Mama) a'r plant yn ôl yn gyntaf i Flaen-y-ffos ac yna Llandyfrïog, tyfodd ei enw fel un o brif grefftwyr gwaelod Sir Ceredigion. Roedd yn saer coed ac yn gerfiwr medrus a datblygodd hynny i'r gelfyddyd o lunio Cadeiriau Eisteddfodol. Roedd e hefyd yn gerddor, yn arweinydd corau ac yn chwaraewr ffliwt. Fel mae'n digwydd, derbyniodd Ray ei ffliwt gyntaf oddi wrth Dada. Ffliwt bren oedd hon a fyddai'n gatalydd i'r alawon hynny a chwaraeodd Ray yn ddiweddarach gyda'r Moody Blues. Cefais y teimlad gan Ray fod Dada wedi gadael ei yrfa focsio nôl yng Nglyncorrwg. Serch hynny, gorfodwyd i'r traddodiad godi ei ben ar ochrau Castellnewydd rai blynyddoedd yn ddiweddarach.

Wrth ddychwelyd o'r gwaith bob dydd, mi fyddai Tom

Thomas a'i fab Morlais yn pasio criw o fois garw a fyddai wrthi'n whare melltith ar sgwâr y dre. Roedd un ohonynt i'w weld yn ymladd byth a hefyd ac mi fyddai'n plagio Dada a bygwth cwpwl o glowts iddo. Tra'n smoco'i bib yn fyfyrgar, byddai Dada'n troi at Morlais gan ddweud wrtho am eu hanwybyddu ac i beidio ymwneud â'r fath ddwli a'r fath gythreuliaid. Serch hynny, yn ddyddiol byddai'r cynulliad o flagardiaid yn bresennol wrth i'r tad a'r mab basio heibio, a'r heclwyr yn tyfu'n fwyfwy uchel eu cloch.

Un prynhawn, dyma'r prif gythrel yn camu o flaen Dada a'i stopio ar y llwybr. Dyma fe'n ei wthio a'i herio gan godi ei ddyrnau gyferbyn â'i ên. 'Dere mlân hen foi. Dere weld be sda ti,' mynte fe. A heb dorri chwys na dangos gwg, dyma Dada'n tynnu ei het yn araf tra'n parhau i bwffio'n amyneddgar ar ei bib. Dyma godi ei ddyrnau i'w amddiffyn ei hun gan iddo wybod erbyn hyn na fyddai'r gŵr melltigedig yn atal ei ddwli dim mwy. Dyma'r dyn yn taflu dwrn, ac fel gwennol trodd Dada ei ben yn gelfydd i'w osgoi. Taflodd y gŵr ifanc sawl dwrn arall yn ddiamynedd. Ac eto fel gwelltyn yn y gwynt, dyma Dada'n ei osgoi ond eto heb daro nôl. Yn rhwystredig ac yn wyllt, fe daflodd y dyn ergydion i byllau o awyr iach wrth i'w hygrededd bylu o flaen ei ffrindiau. Roedd yn amlwg y byddai Dada'n ennill y frwydr yn heddychlon heb orfod taflu ergyd. Ond llwyddodd y blagard i daro pib Dada yn sgwâr o'i geg. Roedd e'n methu cyrraedd ei ên! Serch hynny, gwthiodd y glatsien ddolen y bib yn ôl, gan grafu'r croen o dop ceg Dada. Gwgodd, gwingodd mewn poen, a dyna'r catalydd iddo ymateb. Mewn adwaith naturiol i'r bibell frifo'i geg, ymatebodd ag un hergwd lân a thyngedfennol. A dyma'r blagard ar ei dîn yn dalp o gywilydd, ei ffrindiau'n chwerthin ar ei ben a'r frwydr wedi ei cholli yn erbyn dyn oedd yn gwrthod ymladd tan fod rheidrwydd yn gorfodi hynny.

Cerddodd Tom a Morlais adre'n dawel nes iddynt gyrraedd drws y tŷ, a dyna pryd torrodd Dada'r tawelwch. 'Paid ti â gweud gair wrth dy fam!' Cerddwyd i'r tŷ yn dawel ond yn bwrpasol a'r peth cyntaf a wnaeth Dada oedd eistedd wrth y tân wrth i Mama ei gyfarch gyda dishgled o de berwedig yn ffres o'r tebot ar y pentan. Wrth iddo sipian llwnc o'r cwpan, cadwodd ei wyneb yn gwbl ddi-emosiwn, heb fradychu'r boen anorfod oedd yn amlwg wrth i'r te twym losgi top ei geg. Ac wrth wacáu'r cwpan te yn gyfan gwbl, ni symudodd ei edrychiad oddi ar ei fab ifanc oedd yn eistedd gyferbyn ag ef wrth y tân.

Symudodd Ray o un stori i'r llall y noson honno fel bod ei ardd yn Leatherhead wedi troi i fod yn llecyn o orllewin Cymru. Aeth ymlaen i sôn wedyn am angladd Dada yn Llandyfrïog. Roedd wedi teithio lawr o Lundain yn arbennig i dalu teyrnged i'w dad-cu annwyl. Fe aeth i'r angladd â chynhyrchydd mawr o America gydag ef yn gwmni gan fod y ddau yn cydweithio ar recordiad newydd ar y pryd. Roedd y capel, yn ôl y disgwyl, dan ei sang. Angladd traddodiadol Cymraeg, a'r gymdogaeth gref leol yn bresennol. Roedd y canu, meddai Ray, yn anhygoel. Pedwar llais yn atsain rhwng muriau'r capel oedd yn dirgrynu mewn anrhydedd i dad-cu'r cerddor a'r crefftwr balch. Ar ganol un emyn emosiynol, dyma'r cynhyrchydd o Americanwr yn troi at Ray gan ddweud: 'Wow, Ray! Where did they get the choir?' Ac wrth i ddeigryn gronni yn llygaid y Cymro o Birmingham, dyma fe'n ateb: 'That's no choir, my friend. That is Wales.'

Roedd penblwydd Ray yn gyfle i ddod i'w nabod yn well. Drwy'r straeon hyn, teimlwn i mi fod wedi ei nabod erioed. Teimlo ein bod ni'n deulu. Byddwn weithiau'n gofyn iddo am straeon roc a rôl. Ond doedd e ddim yn un i frolio. Roedd e'n ffrindie gyda'r mawrion fel y Beatles. Ond gwell fyddai ganddo siarad am Dada a'r teulu. Soniodd am un noson yn arbennig yn Sir Benfro mewn tafarn lle'r oedd fy nhad wrthi'n canu. 'He had the warmest classical Welsh tenor voice,' medde fe. Y noson honno roedd ar ei anterth, yn ôl y sôn, ac wrth i'r canu godi'n gresiendo, cychwynnodd Dad ar ddatganiad o 'Myfanwy'. Yn ystod y gân, a'r dafarn i gyd mewn tawelwch llethol, dyma un ymwelydd yn codi llais wrth y bar gan weiddi mas: 'My God, do we have to listen to all this Welsh stuff any more?' Cyn i neb arall symud, roedd Ray wrth ei ochr fel fflach yn ei gynghori i gau ei geg neu adael y dafarn.

Ar ôl parti Ray, fe gadwodd y ddau ohonom mewn cysylltiad yn rheolaidd. Gofynnodd Ray a fydde gen i ddiddordeb mewn cyd-ysgrifennu cân gyda'n gilydd. Fe gynigiais ein bod yn ysgrifennu cân am Dada gan fod ei straeon wedi bod yn ddolen gyswllt mor gryf rhyngom. Cytunodd Ray gyda gwên. Tra'n teithio gyda sioe theatr yn Lloegr a'r Alban rywbryd yn ddiweddarach, cefais gyfnod yn perfformio yn The Arts Theatre, yn y West End yn Llundain. Roeddwn yn hynod falch o gael y cyfle i berfformio yno ond hefyd, roedd yn siawns i mi aros dros y cyfnod gyda Ray a Lee. Fe gychwynnon ni drafod y gân ac olrhain mwy o hanesion Dada gan lwyr ymgolli ym myd de Ceredigion y 60au. Fe wnaeth Ray ddangos cwrwgl yr oedd wedi ei brynu gan ddyn yn Surrey a oedd, drwy ryw ryfedd wyrth, wedi ei brynu gan ddyn o Genarth. Ac roedd yntau'n perthyn i ni! Yn y cyfnod hwnnw yn Llundain, fe greodd y ddau ohonom ein darn o dir personol oedd yn sail i'r gân.

Ar ôl dychwelyd i Iwerddon, dechreuodd y ddau ohonom gyfnewid cyfres o e-byst o syniadau ynglŷn â'r gân oedd ar y gweill. Mi fyddai Ray yn danfon ambell i linell neu gwpled ac mi fyddwn innau'n dychwelyd fy llinellau i. Roedd blas Cymreig ar linellau Ray wrth iddo olrhain atgofion o wlad 'where the corn is green' ac o'r 'Bible black clouds'. Ei atgofion o Gymru ei blentyndod ar ffermydd ei gyndeidiau a'r ardaloedd glofaol. Dechreuais innau chwarae'r gitâr ac yna'r piano i wau rhywbeth rhyngom, rhywbeth oedd yn uniad o'r byd cyffredin rhyngom. Roedd y ddau ohonom wedi teithio'r byd a'r ddau ohonom yn byw bellach y tu allan i'r filltir sgwâr honno lle'r oedd ein cof o Dada yn bodoli. Ond roedd yna fflach rhyngom. Y fflach honno oedd yn bodoli hefyd yng nghymeriad Tom Thomas, Llandyfrïog. Y fflach a welais yn llygaid Ray ar noson ei ben-blwydd. Y fflach honno o orllewin Cymru y gwn sy'n bodoli yn fy nghalon innau hefyd.

Ar ôl cyfnewid syniadau, melodïau a geiriau, dechreuodd y gân gymryd siâp, a dyma gytuno bod ganddon ni gân. Cân wedi ei saernïo rhwng atgofion Ray, fy sgyrsiau i gyda Mam a'r cyfarfodydd hynny ar diroedd estron Llundain a oedd, dros dro, wedi troi yn orllewin Cymru. Aethpwyd ati wedyn i drefnu stiwdio. Roedden wedi cwrdd ar noson y parti gyda gŵr o'r enw Greg Walsh. Roedd Greg yn gynhyrchydd a oedd wedi ennill gwobr Grammy am ei waith yn y gorffennol ac wedi gweithio gydag artistiaid fel Tina Turner a Pink Floyd. Gŵr bonheddig oedd yn gefnogol iawn ar ôl clywed ein grŵp, Mendocino, yn perfformio. Roedd ganddo stiwdio hyfryd nid nepell o gartre Ray ac roedd yn awyddus i recordio'r gân. Trefnwyd amser, ac fe es i draw ar y bad a dal y trên i Lundain i ymgymryd â'r gwaith.

Aethpwyd ati'n frwd, gyda fi'n agor gyda'r piano a'r gitâr. Yna dyma Ray yn ymuno i recordio'r harmonica. Ac yna'r ddau ohonom yn canu. Roedd Ray yn awyddus i gael sain corawl i rannau o'r gân ac roedd Greg yn gelfydd iawn wrth gynhyrchu. I ddweud y gwir, doeddwn i ddim wedi gweithio gyda chynhyrchydd mor fedrus a chlyfar erioed. Llwyddodd i naddu cân oedd yn driw i arddull cerddorol Ray gan hefyd gyfleu teimlad corawl ac eto deimlad cyfoes i'r cyfan. Ysgrifennwyd y gân yn Saesneg gan nad oedd Ray yn medru'r Gymraeg. Ond heb os, mae yna elfen Gymreig iddi. Ac roedd e'n brofiad unigryw i mi gael cydweithio gydag ef a'r galluog a chelfydd Greg. Mae'r profiad yn golygu cymaint yn fwy erbyn hyn gan i mi wybod nawr mai dyma oedd un o'r caneuon olaf i Ray ei hysgrifennu.

Ar Ionawr y 4ydd 2017 bu farw Ray yn 76 oed. Er ei fod wedi dioddef rhai problemau iechyd, roedd wedi maeddu canser yn ei flynyddoedd diwetha. Serch hynny, daeth i ben deithio ei fyd lliwgar a chyffrous yn sydyn. Roedd gan y ddau ohonom gynlluniau mawr ar gyfer ysgrifennu mwy o ganeuon gyda'n gilydd, ac o bosib, albwm. Ond gwaetha'r modd doedd hyn ddim i fod oherwydd prysurdeb bywyd. Ond o leiaf cafwyd y cyfle i ysgrifennu a recordio un. Un gân am fy hen dad-cu oedd yn gymaint o gymeriad. Yr eironi yw ein bod ni yn y gân yn gresynu na allen ni'n tri gwrdd yn nhafarn y Red Cow, Castellnewydd. Ond ysywaeth erbyn hyn, dim ond un o gymeriadau ein cân sydd ar ôl.

Cynhaliwyd yr angladd yn Eglwys y Mwnt ger Aberteifi, yr eglwys y priododd Ray a Lee ynddi rai blynyddoedd yn gynharach. Mae'n fangre ysbrydol iawn, ac yn eglwys lle gwnaeth Dada adeiladu'r meinciau ac ymwneud â llawer o'r gwaith coed. Felly roedd yna deimlad o uniad ynghyd â'r golled. Roedd Lee wedi gofyn i mi gymryd rhan yn y gwasanaeth, a braint oedd cael gwneud hynny. Roedd llawer o sêr y byd roc yno, a Justin Hayward o'r Moody Blues wedi hedfan mewn i Aberporth mewn hofrennydd.

Yn y pendraw, cefais fwy o ran na'r disgwyl yn y gwasanaeth. Gofynnodd Lee i mi ddarllen teyrnged gan Mike Pinder, un o ffrindie pennaf Ray ac arloeswr y Mellotron. Mi wnes i hefyd arwain datganiad o 'Gwm Rhondda' ar y gitâr cyn adrodd 'Do not go Gentle' gan Dylan Thomas. Teimlais y fraint fwyaf serch hynny pan chwaraewyd cân Dada wrth iddynt hebrwng yr arch o'r eglwys.

Y tu allan, roedd haenen drwchus o eira wedi disgyn ar erwau Mwnt uwchlaw'r traeth. Edrychai'r tirwedd fel rhyw glogwyn hudol, bron iawn fel y sidan gwyn yn y gân lle chwaraeodd Ray ei ffliwt felfedaidd. Roedd teimlad o'r cenedlaethau'n cwrdd wrth adael y seddi pren oddi tanom yn yr Eglwys. Seddi pren Dada yn parhau; Ray yn gadael. Ond y gân yn ein tywys ni i gyd i'r dyfodol. Cefais y fraint o gwrdd a dod i'w nabod nhw oll. Dod yn ffrindie. Dod yn un teulu. Erbyn hyn, mae label yn Llundain yn bwriadu rhyddhau'r gân yn y dyfodol agos a gobeithio y bydd y byd yn gallu rhannu stori Tom Thomas, Llandyfrïog a'i rôl yn ein bywydau.

13.
Pam fod Eira'n Wyn

Pan fydd haul ar y mynydd, pan fydd gwynt ar y môr,
Pan fydd blodau ar y perthi, a'r goedwig yn gôr.
Pan fydd dagrau f'anwylyd fel gwlith ar y gwawn,
Rwy'n gwybod, bryd hynny, mai hyn sydd yn iawn.

Cytgan:
Rwy'n gwybod beth yw rhyddid, rwy'n gwybod beth yw'r gwir
Rwy'n gwybod beth yw cariad at bobol ac at dir.
Felly peidiwch â gofyn eich cwestiynau dwl,
peidiwch edrych arna'i mor syn
Dim ond ffŵl sydd yn gofyn pam fod eira'n wyn.

Pan fydd geiriau fy nghyfeillion yn felys fel y gwin,
A'r seiniau mwyn, cynefin yn dawnsio ar eu min.
Pan fydd nodau hen alaw yn lleddfu fy nghlyw,
Rwy'n gwybod beth yw perthyn ac rwy'n gwybod beth yw byw!

Pan welaf graith y glöwr, a'r gwaed ar y garreg las,
Pan welaf lle bu'r tyddynnwr yn cribo gwair i'w das,
Pan welaf bren y gorthrwm am wddf y bachgen tlawd,
Rwy'n gwybod bod rhaid i minnau sefyll dros fy mrawd.

Pam fod eira'n wyn

Weithiau, mewn cyngerdd, mi fydda i'n canu cân gyfarwydd gan rywun arall. Mae rhai ysgrifenwyr yn feistri ar ysgrifennu cytganau clodwiw. Un o'r goreuon yw Dewi Pws Morris. Pan oeddwn yn gigio tipyn gydag e rai blynyddoedd yn ôl, roeddwn yn rhyfeddu – er na fydden i byth yn cyfaddef iddo'n bersonol – ar ei grefft o ysgrifennu cân boblogaidd. Mae'n feistr hefyd ar saernïo noson hwyliog. Gyda'i hiwmor, ei straeon a'i ganeuon, fe yw'r agosaf sydd gennym yng Nghymru i'r Cyfarwydd modern. Fe yw'r Cymro sy'n fy atgoffa fi fwya' o fy nhad yng nghyfraith, Bobby Clancy. Eneidiau cyffelyb sy'n deall ystafell o bobl, eu seicoleg, eu hiwmor a'u chwaeth. Trueni mawr na chafodd y ddau byth gwrdd. Mi fyddai 'di bod yn noson a hanner! Mae 'Go Lassie Go' a 'Lleucu Llwyd' yn chwythu'r to yn unrhyw wlad!

Dyna bŵer y gân. 'Os fyddi di byth mewn trwbwl, tria ddod mas 'no fe' oedd chwedl Pontsiân, ac mae 'na sawl tro mae'r gân wedi fy achub yn fy mywyd! Rai blynyddoedd yn ôl, cefais fy ngwahodd i adrodd cerdd gan y digymar Dylan Ebenezer ar raglen y gêm bêl-droed rhwng Iwerddon a Chymru yn Nulyn. Y syniad oedd i mi gerdded o amgylch y ddinas enwog yn adrodd i gamera o flaen lleoliadau enwog fel y GPO ar Stryd O'Connell, yr Ha'penny Bridge a Stadiwm Aviva. Wel roedd hi'n ddiwrnod godidog ar lannau'r Liffey, a'r haul yn disgleirio wrth imi grwydro'r strydoedd yn adrodd gyda balchder eiriau dihafal Dylan. Pasiais Molly Malone a Phrifysgol y Drindod lle addysgwyd Oscar Wilde gan ymfalchïo fy mod i'n rhan o'r traddodiad Celtaidd eang a chyfoethog sydd rhyngom. Ond wrth i'r diwrnod dynnu at ei derfyn, aeth pethau braidd o chwith wrth imi gyrraedd Temple Bar.

Mae'r ardal honno yn gallu troi'n wyllt liw nos gan fod cymaint o bartïon Stag a Hen wedi ei mabwysiadu fel un o'r canolfannau mwya poblogaidd yn y byd. Serch hynny, doeddwn i ddim yn disgwyl trybini am bump y prynhawn. Ta beth, wedi inni orffen ffilmio'r gerdd, penderfynom y byddem yn canu fersiwn o 'Lleucu Llwyd' ar gerrig crynion strydoedd yr hen ardal. Roeddwn i'n defnyddio Gareth Bale fel gwrthrych y gân yn hytrach na Lleucu druan, ac roeddwn i'n cael ymateb da gan yr heidiau o Gymry oedd yn barod yn ymgynnull i wlychu pig. Cymaint oedd fy mwynhad ar y pwynt hwnnw, fel nad oeddwn wedi sylwi ar y cymeriad difyr oedd wedi cerdded i fyny tu ôl i mi a fy nhapio ar fy ysgwydd. 'That's a lovely camera,' mynte fe gan ystumio at y peiriant gwerthfawr. Roedd e'n gymeriad eitha' truenus, tenau, ac ôl diwrnod caled tafarnaidd ar ei wep. Prin o'n i'n gallu deall e'n siarad ac roedd ei lygaid e nôl yn Mullingar. 'I'd like a camera like that.' Erbyn hyn, roedd e'n cerdded tuag at Haydn Denman, y dyn camera druan, oedd yn barod wedi tynnu'r teclyn oddi ar ei ysgwydd a minnau wedi rhoi taw ar 'Lleucu (Gareth Bale) Llwyd' yn ofni bod y creadur am geisio dwyn y camera. 'Can I have it?... I love it... Give me that camera,' medde fe 'to â phenderfyniad cadarn. Ac ar y pwynt hwnnw, o berfeddion pair yr awen a'r gitâr yn dal yn fy nwylo, tarais gord G mwyaf...

'I met my love by the gasworks wall.
Dreamed a dream by the old canal,
I kissed my girl by the factory wall.
Dirty old town, dirty old town...'

Fel petai'r Clancys, Luke Kelly a Ronnie Drew wedi bod yn gwylio'r cyfan o'r nen, fe ddaeth geiriau ac alaw 'Dirty Old Town' allan o fy ngenau. Yn sydyn, stopiodd ein ffrind newydd ar ei barablu a throi i syllu arnaf. Am eiliad, doeddwn i ddim yn siwr os oedd clatsien ar y ffordd. Ond gwelais ei lygaid yn araf ddychwelyd o Mullingar a'r tywyllwch blaenorol yn lleddfu dan haul hwyr y prynhawn wrth i ddeigryn gronni yn ei lygad poenus. Erbyn yr ail bennill, roedd e'n cydganu ac erbyn i mi ynganu'r geiriau olaf, roedd y creadur yn fy mreichiau yn bloeddio ei ddiolchgarwch fel petaen ni'n nabod ein gilydd ers blynydde! Roedd hi'n gân oedd yn golygu cymaint iddo. Fe gerddodd bant yng nghochni machlud y strydoedd cul, gyda gwên lydan ar ei wyneb a'r camera gwerthfawr bellach yn angof. Dyna pryd mae'r gân yn union fel currency. Mae'n fwy pwerus na chamera gwerthfawr hyd yn oed! Mae'n gallu golygu mwy i ddyn oedd yn anhapus ei fyd, gŵr oedd yn chwilio am arian, fwy na thebyg, am ei dropyn nesaf. Mae'r un peth yn wir mewn cyngerdd. Weithiau, mae 'Lleucu Llwyd' yn gallu codi calonnau yn fwy nag unrhyw beth. Wy' 'di gweld cynulleidfaoedd yn newid wrth ei chanu fel petai rhywun wedi chwistrellu chwa o gariad i eneidiau pobl. Gellir dweud yr un peth am gân Dafydd Iwan 'Pam Fod Eira'n Wyn'.

Rwy' di clywed a chanu 'Pam Fod Eira'n Wyn' ers bod yn grwt: mewn cyngherddau gyda Dafydd pan o'n i'n canu gyda'r grŵp Gwergan, yn y Cnapan ar ddiwedd nos, ac weithiau yn fy nghyngherddau fy hun. Dyma yn fy marn i yw un o'i gampweithiau, o bosib ei gân orau. Mae 'Yma o Hyd' wedi cyrraedd yr uchelfannau, yn enwedig yn ddiweddar, ond mae 'Pam Fod Eira'n Wyn' yn crisialu beth yw e i mi i fod yn Gymro, yn wlatgar, yn rhydd ac yn berson rhyngwladol. Wrth i mi dyfu'n hŷn, mae fy syniadau ar bob math o bynciau yn newid. O wleidyddiaeth i grefydd mae'r ysgol brofiad yn naddu'r hyn sydd yn ein meddwl ni ac mae caneuon yn ein llywio drwy lwybrau'r byd. Wy'n cofio'r anfarwol Anne Mooney yn dweud unwaith, 'I learnt everything about life through songs. I heard those songs from Bobby Clancy.' Mae 'Pam Fod Eira'n Wyn' i mi yn sefyll gyda 'Blowin' in the Wind' Bob Dylan a goreuon Shane McGowan, Johnny Cash, Leonard Cohen a Joni Mitchell. Enghreifftiau o grefftwyr arbennig gyda'r gallu dihafal i agor calon a chyffwrdd yr enaid.

Mae'n gân sy'n defnyddio symlder neges fel teclyn sy'n creu pŵer aruthrol. Dim ond ffŵl sy'n cwestiynu rhyddid dyn ym mhob agwedd o fywyd. Rhyddid dinasyddion i fyw bywyd llawn yn eu diwylliant brodorol, rhyddid dinasyddion i ennill bywoliaeth barchus i fyw, rhyddid i ni fyw fel dinasyddion y ddaear, yn frodyr a chwiorydd. Dyma i mi yw bod yn Gymro. Os rhywbeth, rwy' 'di tyfu'n llai cenedlaetholgar yn yr ystyr traddodiadol wrth dyfu'n hŷn a mwy rhesymegol ynglŷn â pham mae angen inni anelu at fod yn wlad annibynnol. Serch hynny, mae'r term hwnnw wedi tyfu'n wrthddywediad heddiw oherwydd mae sofraniaeth gwledydd yn ein byd wedi esblygu i fod yn fwy cydweithredol fel yn y prosiect Ewropeaidd. Hynny yw, tan i drychineb Brexit godi ei ben. Mae hyd yn oed y term yn anodd i'r glust. Fel ryw gadfridog Sacsonaidd yn gweiddi 'Charge!' cyn i fyddin imperialaidd sathru ar ddiwylliannau'r byd. Mae'n creu poen yn fy meddwl o hyd fod cenedlaetholdeb o'r math gwaetha wedi cael rhwydd hynt i droi'r cloc yn ôl. Mae wastad wedi bod – ac yn dal i fod – yn freuddwyd i mi weld Cymru o amgylch yr un ford wleidyddol a diwylliannol â gweddill trigolion cyfandir amryliw Ewrop. Bwrdd lle mae llais i'r mawr a'r bychain.

Mae angen i Gymru a'r iaith Gymraeg gael lle cytbwys yn y byd hwn. Nid oherwydd ein bod yn gynhenid yn ddinasyddion, cantorion, chwaraewyr rygbi, beirdd ac awduron gwell. Nid teyrnas Duw yw Cymru neu fe fyddai'n hynod annheg ar bawb arall. Dyw ein hiaith ddim yn brydferthach nag unrhyw iaith arall. Dyw'r Wyddfa ddim yn dlysach na'r Alpau a dyw Dyffryn Teifi ddim yn fwy ysbrydol na dyffrynnoedd eraill (er bod hynny'n anodd cyfaddef!). Ond dyma yw ein cartre, a dyma yw ein mamiaith. Nid iaith yr Academi neu Steddfod ond iaith Mam yn gweiddi, 'Ti'n hwyr i'r ysgol, a gwisga dy got!'. Dyna i gyd yw e. Dyna i gyd. Ond eto, dim ond ffŵl sydd yn gofyn pam fod geiriau Mam yn bwysig. Dyna'r peth pwysica yn y byd.

Wy'n hoffi bod yn Gymro. Wy'n dwli ar wrando ar Len Ffish a Dad yn cwmpo mas drwy dynnu coes. Wy'n dwli ar glywed fy merched yn siarad ar y ffôn o Iwerddon ag acenion Ffostrasol. Wy'n dwli ar glywed 'Myfanwy' pan wy' bant o gatre. Wy'n dwli ar hyn i gyd. Wy' hefyd yn dwli ar ffilmiau Scorsese, caneuon Bob Dylan a rhaglenni David Attenborough. Yn fyr, wy'n dwli ar y byd. Ar ôl byw yn Iwerddon ers degawd, rwy' wedi sylweddoli nad oes dim gennym i'w ofni o fod yn wlad annibynnol o fewn teulu Ewropeaidd. Does dim gwahaniaeth rhyngom o ran gallu ac ysbryd. Os rhywbeth, rwy'n credu fod y Cymry gyda'r bobl mwya cydwybodol sydd. Yr hyn sydd ar goll yw rheolaeth.

Ychydig yn ôl, yn ystod y refferendwm ar hawliau menywod i erthylu yn Iwerddon, profais ar lawr gwlad sut roedd rhaglenni trafod eu gorsafoedd radio wedi creu dadl iach genedlaethol. Roedd hi'n gyfnod o newid gwirioneddol. Pobl ar y radio, o'r gyrrwr tacsi i'r gwleidydd, yn dadle o blaid ac yn erbyn y pwnc. Fe welwyd moesau, crefydd a hunaniaeth y wlad yn cael eu trafod a'u datrys oherwydd fod ganddynt eu cyfryngau eu hunain. Dyma sydd ei angen yng Nghymru. Mae angen rhoi datganoli'r cyfryngau yn uchel ar yr agenda a hynny yn y ddwy iaith. Cyfryngau fydd yn adlewyrchu trafodaeth eangfrydig am bwy y'n ni fel pobl. Beth yw ein barn, pwy sy'n llywodraethu a beth yw ein lle yn y byd.

Yn fy marn i, mae angen anelu at fod yn fwy annibynnol yn barod. Nid yn unig drwy brotest a gwleidyddiaeth, ond mae'n rhaid inni ddechrau cydweithio fel pobl ac fel cyrff cyhoeddus mewn ffyrdd newydd ac arloesol. Mae gwledydd Sgandinafaidd wastad yn chwilio am ffyrdd newydd o wneud pethau. Yn aml, ry'n ni o dan gysgod patrymau Seisnig o weithio. Mi fydden i'n hoffi'n gweld ni'n meddwl tu allan i'r blwch, fel petae. Mae cymaint o botensial i gyfuno ein diwylliant, ein celfyddyd a'n cyfryngau a newid ein lle yn y byd, ac mae angen i Gymru gael polisi rhyngwladol. Wy'n cofio'r actores a'r gantores Carys Eleri yn sôn wrtha'i unwaith ei bod hi wedi canu i dwristiaid oedd yn stopio yng ngwasanaethau Pont Abraham ar eu ffordd drwy Gymru o Iwerddon i Lundain. Roedd y criw Americanaidd wedi eu cyfareddu gan yr iaith a'r gerddoriaeth er nad oedd ganddyn nhw ddim syniad o gyfoeth ein diwylliant. Onid dyma'r math o dwristiaid sydd angen eu denu i Gymru? Math o berson byd-eang fyddai heb ddim diddordeb mewn prynu tŷ haf mewn pentref sydd wedi colli ei enaid. Pobl fyddai eisiau ymweld â threfi byrlymus drwy gydol y flwyddyn sy'n ffrwydro gyda diwylliant, cerddoriaeth a llên, a phobl fyddai'n gwirioni ar ein hiaith. Maen nhw yno ar draws y byd. Wy' wedi cwrdd â nhw yn yr Unol Daleithiau a chyfandir Ewrop. Wy'n cofio technegydd mewn theatr yn Seattle yn dod â hen feibl Cymraeg enfawr i mi gael ei weld, â'r wên fwya' balch welais i erioed. 'That was my great grandfather's old bible... It's all in Welsh.'

Sut mae creu symudiadau fydd yn ein galluogi ni i esblygu'n annibynnol cyn ennill unrhyw bleidlais i'w ddiogelu? Wel, mae'n rhaid inni weithio'n galed i gydweithio ymysg ein gilydd. Wy'n credu fod rhaid i'n darlledwyr greu darlun o'n diwylliant cynhenid i'r byd. Mae llawer o artistiaid gennym erbyn hyn sy'n ymestyn allan i'r byd. Pobl fel Gwyneth Glyn, 9 Bach a'r grŵp Calan. Oes platfform digonol lle ry'n ni'n eu gweld a'u clywed ar ein sianeli cenedlaethol? Mae rhaglenni fel 'Lleisiau Eraill' yn dangos y ffordd. Yn fy marn i, dyma'r math o ddiwylliant fydd yn rhoi Cymru yn y golau gloywa ar lwyfan rhyngwladol. Hynny a cherddoriaeth gyfoes y to iau. Dyma sydd angen ei allforio. Mae lle i ganu clasurol ac opera, wrth gwrs. Ond petaen i'n Americanwr neu'n frodor o Siapan a fy mryd ar weld opera, oni fyddwn i'n mynd i Milan i gael arlwy o'r fath?

Wy' hefyd yn credu y gallai cyrff fel Bwrdd Ffilm Cymru, S4C a Chyngor y Celfyddydau ymestyn i fod yn fwy arloesol. Pam lai? Beth sydd gennym i'w golli? Er enghraifft, gallem greu rhwydwaith o sinemâu pop-up yn ein neuadde pentref. Cael pwl o gyllid i gynhyrchu pedair ffilm low budget y flwyddyn a sgriptiau wedi eu hysgrifennu'n glyfar i wireddu'r gyllideb. Fe allai'r ffilmiau gael eu dangos ar gylchdaith fel ffilmiau cyffredin. Cyfle i ddefnyddio ein neuadde pentref, falle artist lleol i ganu am ugain munud cyn y ffilm a bwyd a diod lleol yn cael ei ddarparu ar y noson. Fe allai hyn weithio yn y ddwy iaith i ardaloedd gwahanol, ac ar ôl chwe mis, fe allai'r ffilmiau gael eu dangos ar y cyfryngau cenedlaethol. *Cinema Paradiso* i Gymru gyfan! Yn ogystal, gan fod ffilmiau a dramâu teledu'n ddrud i'w cynhyrchu, pam na all ein darlledwyr, ein theatrau a'n colegau gydweithio'n agosach a chael actorion a phobl o brofiad i weithio mewn ffyrdd ymarferol gyda myfyrwyr fel bod pobl fel actorion yn gallu parhau yn eu maes. Fy ngofid yw na fydd digon o actorion gennym yn y dyfodol oherwydd ei bod hi'n anoddach bob dydd gwneud bywoliaeth. Mae'n rhaid meddwl am ffyrdd i gynnal perfformwyr yng Nghymru gan ein bod wedi adeiladu traddodiad gref yn y maes dros yr hanner canrif ddiwethaf. Mae hyn yn wir am gerddorion hefyd. Ystyriwch petai unrhyw weithwyr mewn unrhyw ddiwydiant yn colli 80% o'u cyflog fel y gwnaeth cerddorion Cymru gyda'r toriadau breindaliadau ryw ddeng mlynedd yn ôl. Mae'n rhaid cefnogi'r rhain a dyfeisio ffyrdd rhwng y cyfryngau, addysg a thwristiaeth i adfer diwylliant sydd wedi ffynnu cymaint ers ffrwydrad canu poblogaidd yn y 60au.

Ry'n ni'n wlad fach ac mae hynny'n golygu y gallwn weithio gyda'n gilydd yn haws nag mewn gwlad o 50 miliwn. Pan ddaeth Evan Grace gyda mi o Iwerddon i'r Eisteddfod, fe gafodd sioc anferth ar yr ochr orau yn enwedig wrth weld safon aruthrol y sin roc Gymraeg. Wy'n cofio meddwl pam nag yw e'n gwybod amdanom ac yntau'n Wyddel?! Mae'n rhaid i ni ddechrau cydweithio mewn ffordd sy'n rhwygo patrymau'r gorffennol. Mae'n bosib. Wy'n cofio pobl yn chwerthin ar fy nhad pan awgrymodd y dylai'r Cnapan gael ei gynnal yn y sied gyferbyn â thafarn Ffostrasol. Y flwyddyn ganlynol, roedd y sied yn rhy fach. Dyw'r cyfnod nesaf yn ein hanes ddim yn amser i naysayers fel ma nhw'n dweud ar yr ynys Werdd. Wrth edrych dros y dŵr, wy'n sicrach nag erioed fod gennym fel Cymry y gallu i greu Cymru newydd. Mae'n amser i dorri'n rhydd o geisio creu ffortiwn fach allan o friwsion Llundain. Dewch i ni rowlio'r deis. Fe wneith e lanio ar 6 rywbryd. Dim ond ffŵl sydd yn gofyn pam fod eira'n wyn!

O ie, cân Dafydd Iwan! Wy'n gallu fod yn or-frwdfrydig weithiau ac wy'n siwr fod enghreifftiau lu o bethau arloesol sy'n digwydd yn barod (Atebion ar garden post...). Wy'n credu serch hynny fod rhaid i ni gadw droi'r pair syniadau yn y cyfnod heriol ac eto cyffrous hwn.

Testament i gân dda yw ei bod yn gallu sbarduno rhywun i

wyro oddi ar ei lwybr arferol. Mae caneuon weithiau'n gallu cael dyn i drwbwl, wrth gwrs, ond falle taw dyna'r pwynt. Fe ddywedodd Woody Guthrie fod caneuon gwerin i fod i wneud y cyfforddus yn anghyfforddus a'r anghyfforddus yn gyfforddus. Dyna mae Dafydd Iwan yn ei wneud yn y gân feistrolgar yma. Drwy dynnu ar ysbryd T H Parry-Williams a Waldo, dyw e ddim yn paentio Cymru yn lliwiau peryglus y math afiach o genedlaetholdeb. 'Duw a'm gwaredo, ni allaf ddianc rhag hon' yw'r sentiment ar y 'cilcyn o ddaear' dan ein traed. Y cyfle am frawdoliaeth Waldo, ein bod yn gallu sefyll yn gydradd gyda thrigolion y byd mewn 'annibyniaeth barn'. Bod Mam yn gallu gweiddi arna'i yn Gymraeg er nad yw hi byth yn gwneud. Bod pobl y cymoedd yn gallu cerdded allan o gyffion Thatcher. Bod pobl yn gallu canu emynau mewn capeli a bod eraill yn gallu byw fel anffyddwyr. Bod hi'n gwbl naturiol mai dim ond i'r ffŵl y mae gwahaniaethau iaith, rhyw, lliw croen a dosbarth yn destun dirmyg. Mae Cymru wedi arwain y ffordd yn y gorffennol a dangos ein gallu ym mhob maes posib. Nawr mae'n rhaid i ni ddod at ein gilydd mewn ffordd wahanol eto. Mae'r eira'n wyn. Syml.

14.
Man Rhydd

Dros y mynydd, ma na le
Yn dy feddwl
Bant o'r rhewl, ymhell o'r dre
Heibo'r cwmwl,
Colli cartre, tir a gwaith
Yn dy ddyddie,
Ond nid dyn sy'n llywio'r daith
Heibo'r creigle

Man rhydd
Man rhydd
Man rhydd
Man rhydd

Rodd dy galon di yn un
Yn y dechre
Araf beintiodd bywyd lun
Dy ffaeledde,
Cerdded mewn i ffau y blaidd
Heb adnabod
Yr eneidie gwbl coll
O gydwybod,

Man rhydd
Man rhydd
Man rhydd
Man rhydd

Mynyddoedd y Comeragh yn ne-ddwyrain Iwerddon

Rhyw fore wrth i mi gychwyn meddwl am fy albym diwetha, *Man Rhydd*, roeddwn yn eistedd ac yn edrych ar fynyddoedd y Comeragh – mynyddoedd y cymoedd yn y Wyddeleg – a'r tirlun llyfn a gosgeiddig sy'n ein croesawu'n ddyddiol i'r gegin bob bore. Mynyddoedd sy'n fy atgoffa o'r Preseli neu'r Mynydd Du a golygfa sy'n newid o hyd gyda'r tywydd cyfnewidiol parhaol sy'n gyffredin i arfordir de-ddwyrain yr Ynys Werdd. Mae 'na ysbryd i'r vista sy'n fy atgoffa i wastad o gerddi telynegol WB Yeats, ac am ryw reswm personol wy'n hoffi meddwl fod y gerdd 'He wishes for the cloths of heaven' wedi ei lleoli yma!

Had I the heavens' embroidered cloths,
Enwrought with golden and silver light,
The blue and the dim and the dark cloths
Of night and light and the half-light,
I would spread the cloths under your feet:
But I, being poor, have only my dreams;
I have spread my dreams under your feet;
Tread softly because you tread on my dreams.

Mae'n gerdd hyfryd, a dim ond nawr, wrth ysgrifennu'r bennod hon, wy'n sylweddoli sut mae darnau o eiriau fel rhain mewn rhyw ffordd ddiamcan yn effeithio arnom ar adegau annisgwyl.

Ar y bore hwn, roedd y cymylau'n lapio'r tirwedd yn doredig ac yn frodiog gan ddatgelu siapau ysbrydol, lliwie oedd yn datblygu wrth y funud. Am ryw reswm wrth afael yn y gitâr, dechreuais ddychmygu cymeriad, dyn dieithr yn gyrru ar y lôn rhwng Carrick a Dungarvan yng nghesail y mynyddoedd. Fe stopiodd ei gar mewn layby ddim yn bell o bentre Lemybrien ar yr ucheldir uwchben y môr, agor y drws a chychwyn cerdded tuag at y mynydd.

Roedd golwg golledig, afradlon arno. Ei ddillad yn anniben fel petai wedi goroesi noson o boen neu ofid. Ei grys tu allan i'w drowser a siaced siwt yn grychion o amgylch ei gefn a'i benelin. Roedd brychni tywyll o ddyddie heb siafo yn cyferbynnu â gwelwder ei groen. Oedd e 'di gyrru trwy'r nos? Oedd e 'di colli popeth y noson gynt – ei dŷ, ei briodas, ei swydd, ei fusnes? Oedd cwymp economaidd 2008 wedi ei adael fel llawer ar y doreth ofnadwy o ddyled a cholled? Dw'i ddim yn gwybod beth wnaeth i mi ddychmygu'r dyn yma. Ond wrth i'w daith a'i stori ddatblygu yn fy mhen, ddechreuais bigo cordiau E leiaf ar y gitâr yn fy nghôl .

Roedd agwedd benderfynol i fy nghyfaill newydd. Ma'n rhaid fod y cymylau a'r mynyddoedd wedi ei swyno. Roedd e'n gweld heibio i'r chwiffiau o lwydlas oedd yn chwyrlïo tu hwnt i'r creigle fel bod 'na fyd arall tu hwnt. Roedd ei galon yn drwm ond yn ysu am y llecyn, y byd hwnnw oedd yn addo llonyddwch. Edrychodd i lawr ar ei sgidiau smart oedd yn ddyran braidd wrth ddringo drwy'r cerrig a'r llaca. Wrth i'r niwl oer a'r cymylau isel gwrdd â'i foche cynnes, teimlodd ryw ryddid. Rhyddid y mynydd. Cofiai ei blentyndod diniwed, yr addewid, ei obeithion, ac wrth i'r gwynt godi'n bwerus i'w ysgyfaint, llifodd stori ei fywyd drwy ei gof a'i galon. Powndiodd y gwaed drwy lwybre ei wythienne wrth iddo gofio'r dyddie da, y dyddie drwg, y cariad, colled, cyfeillgarwch, brad. Fel rhythm yn cyflymu gydag angen ei gorff am wynt, fe gerddodd tuag at y tu draw.

A dyna ni. Dyna gychwyn a chnewyllyn y gân. Person rhyfedd yn cerdded i ryw Dir na n'Og yn y mynyddoedd. Prin dwi'n gwybod mwy amdano. Neu falle fy mod i.

Wrth edrych nôl ar y bore hwnnw pan ddaeth 'Man Rhydd' i mi mewn cyfnod byr iawn, dw'i nawr yn cwestiynu cymhelliad y cymeriad a'r stori fer iawn a ddaeth i 'mhen.

Rwy'n credu erbyn hyn fod yr angen am fan rhydd yn gyffredin i gymaint ohonom. Yn sicr mae bywyd yn frith o lwybre, corneli, mynyddoedd a gwastatiroedd sy'n anodd i'w hamgyffred. Taith bywyd. Wrth edrych nôl, rwy wedi cael profiadau hynod. Wedi cael rhywfaint o lwyddiant a cholled. Wedi cael cyfnodau hynod hapus ac wedi profi isel fannau. Wedi profi ffydd o ryw fath, wedi ei cholli yng nghanol rhesymeg gadarn ac wedi chwilio amdani eto. Mae'n stori gyffredin wrth gwrs ond prin yw'r person sydd ddim yn profi pob math o dreialon ar hyd y daith.

Yn fwy na thebyg, pwrpas a gwerth ein bodolaeth sydd wrth wraidd y gân. Beth yw arian, car, tŷ a'r ysgogiadau diriaethol sydd wrth wraidd y byd modern? Dweud mawr ond ystrydebol! Ond yn sicr, mae'n gwestiwn sy'n ganolog i fywydau cymaint ohonom. Ry'n ni 'di byw drwy ddigwyddiadau tymhestlog yn ein hanes diweddar – Brexit, Trump, yr argyfwng hinsawdd ac erbyn hyn y feirws Cofid 19. Os nad yw'r pethe hyn yn procio'r meddwl, ma'n rhaid ein bod ni'n robotiaid yn barod.

Cefais fy ngwahodd rai blynyddoedd yn ôl i fod yn rhan o dîm cyflwynwyr newydd cyfres *Dechrau Canu Dechrau Canmol*. Roeddwn wedi gweithio gyda'r cynhyrchydd Aled John ar raglenni cerddorol o ŵyl Celtic Connections yn Glasgow ac roeddwn yn falch ei fod wedi fy ystyried am y swydd. Serch hynny, doeddwn i ddim wedi gweld fy hun yn llenwi'r rôl honno yn y gorffennol. Dw'i ddim yn gapelwr er fy mod wedi fy nghodi ar aelwyd draddodiadol Gristnogol ac aelodau o fy nheulu fel

Tad-cu Felin yn credu'n gryf yn safbwynt Cristnogaeth a thegwch teulu dyn yn gytûn. Serch hynny, rwy' wedi ymladd brwydr bersonol rhwng rhinweddau a ffaeleddau crefyddau byd eang yn ein datblygiad fel pobl. Ar yr un llaw, rwy'n credu bod crefydd wedi bod yn declyn rheolaethol mewn sawl ystyr wrth ddefnyddio grym bod arallfydol i'n brawychu i mewn i foesgarwch. Mae hynny'n wrthun i mi. Sut y gall rhywun sy'n ein gwylio ac yn gwrando ar bob syniad yn ein meddyliau ein barnu i dragwyddoldeb o nefoedd neu uffern? Mae 'na fygythbris i'r syniad hwnnw na allaf ei dderbyn. Oes bosib fod mwy o werth i ymddwyn yn dda drwy benderfyniad rhydd, heb unrhyw ganlyniad negyddol i'n hysgogi? Rwy hefyd yn credu bod crefyddau wedi cyfyngu cymaint o bobl o ran dosbarth, rhesymeg, hawliau menywod, a dw'i wastad wedi bod yn ddrwgdybus o gymhellion unrhyw gred sy'n cyfyngu unrhyw un rhag cwestiynu popeth yn iach.

Serch hynny, rwy' hefyd wedi gweld rhinweddau gwirioneddol ac ysbrydoledig ymhlith pobl sydd drwy eu ffydd wedi cyflawni pethau anhygoel i'w cyd-ddyn. Mae ffydd y rheiny sydd yn dawel yn eu ffyrdd eu hunain wedi brwydro rhai o elfennau dryca'r byd – Martin Luther King, Dietrich Bonhoeffer, Mahatma Gandhi i enwi dim ond tri – wedi gwrthwynebu rhai o symudiadau mwya salw dynoliaeth. Fe roesant eu bywydau yn anhunanol oherwydd eu cred mewn daioni, a'r gred honno yn sownd i'w ffydd. Mae'n frwydr anodd rhwng rhinweddau a ffaeleddau crefydd.

Dw'i hefyd yn berson amherffaith fy hun. Yn bell o fod yn angel ac eto'n credu'n gryf mewn daioni. Cytunais i fod yn gyflwynydd ar *Dechrau Canu Dechrau Canmol* ar sail sawl peth.

Yn gyntaf, fel y soniais, cefais fy nghodi mewn diwylliant lle mae ein canu mawl yn cynnig cymaint sy'n rhan o wead ein Cymreictod. Mae'n rhan o'n brawdoliaeth, mae'n rhan o'n cymuned, mae'n rhan o ddiwylliant gwerin, chwaraeon a phwy y'n ni. Mae'n rhan o ddaioni ac yn hynny o beth dyna beth sydd bwysica. Erbyn hyn, mae gen i ffydd mewn daioni. Dw'i ddim yn credu yn llythrennol yn y straeon traddodiadol er fy mod yn credu'n gryf yn rhai o'u negeseuon. Mae daioni a drygioni yn bodoli'n anorfod yn y byd ac mae'n rhaid i ni uno mewn daioni ta beth y mae person yn credu sydd wrth wraidd y daioni hwnnw.

Drwy fod yn rhan o brosiect *Dechrau Canu Dechrau Canmol* rwy wedi cael y fraint o brofi daioni yn ei fodd symla ac eto mwya pwerus. Profais enghraifft o'r arwriaeth dawel hyn wrth i ni ymweld ag Eglwys a chanolfan Llanfair ym Mhenrhys, uwchben y Rhondda. Roedd y gwirfoddolwyr yno yn gwneud cymaint o waith da gyda phlant a phobl ifanc ddifreintiedig fel i mi gael fy syfrdanu, gan haeddu'r parch mwya am eu gwaith. Dyma gymuned sydd wedi'i hamddifadu'n gyfangwbl yn y fframwaith economaidd Brydeinig sydd ohoni, ac mae'r ffydd, gobaith a chariad sy'n treiddio drwy ymdrechion y gweithwyr diflino hyn yn ysbrydoliaeth i ni gyd. Rwy wedi cwrdd â phobl a chymdeithasau lu ar draws Cymru sydd wedi ennill fy mharch a'm hedmygedd am eu gwaith gyda'r anghenus. Dyma ffydd yn ei modd mwya effeithiol: ffydd ymarferol ac enghraifft o bobl anhygoel yn dilyn geiriau eu cred er gwell. Pobl sy'n arwain y ffordd i ni i gyd drwy esiampl. Pobl mewn cymunedau sy'n fy ngwneud i'n falch i fod yn Gymro.

Cefais brofiad dirdynnol arall wrth gyflwyno'r rhaglen pan deithiais i gwrdd a chyfweld â hen ffrind i'r teulu, Gwyneth Wyn, sydd nawr yn byw yng Nghonnemara. Fe gollodd Gwyneth ei dwy merch, Myfi a Megan, mewn damwain car flynyddoedd yn ôl. Fel tad i dair o ferched fy hun, nid oes uffern y galla'i ddychmygu sy'n fwy na phrofiad tebyg i hyn. Er fod Gwyneth fel un o'n teulu ni bellach, doeddwn i fy hun erioed wedi trafod y golled gyda hi. Roedd hi'n her felly i wneud hynny am y tro cynta' ar gamera mewn cyfweliad ar gyfer rhaglen deledu. Ro'n i'n nerfus ac yn ofnus, ac yn awyddus i drin y testun yn iawn a bod yn sensitif i Gwyneth. Dw'i erioed wedi teimlo unrhyw beth tebyg yn fy ngwaith cyn nac ar ôl hyn. Wrth olrhain yr hanes, fe wnaeth Gwyneth fy nhywys i gyda'i chryfder, ei ffydd, ambell wên ac ambell ddeigryn, drwy erchylltra ei cholled, fel petai hi'n fy helpu i ddeall. Wna'i byth anghofio'r awr honno. Dw'i erioed wedi cwrdd a nabod person mwy hael, caredig, dewr ac addfwyn, ac wy'n falch ac yn ddiolchgar am ei chyfeillgarwch, yn enwedig i Mam a Dad. Roeddwn yn hynod falch hefyd i enwi ein trydedd merch yn Myfi.

Gwelais bŵer ffydd ar lefel rhyngwladol hefyd pan gawsom y fraint o ymweld ag Eglwys 16th Street ym Mirmingham, Alabama. Dyma lle y pregethodd y Parchedig Ddr Martin Luther King, a lleoliad y bomio arswydus a laddodd bedair merch yn 1963. Wy'n cofio sefyll yno gyda'r criw, Rhys D Williams, Geoff Lloyd a Megan Roberts, o flaen ffenestr liw John Petts o Gymru: ffenestr sy'n portreadu Iesu fel dyn croenddu. Ffenestr a gyflwynwyd i'r bobl a'r capel fel arwydd o undod a chydsafiad y Cymry gyda'u mudiad a'u colled wedi'r drasiedi. Dw'i erioed wedi teimlo fy mod ynghanol llyfr hanes fel y gwnes i'r diwrnod hwnnw. Ynghanol y canu gospel a straeon anhygoel y bobl gynhesa a gwrddais erioed, fe deimlais ryw linyn cyswllt rhyngom a oedd yn pontio ffydd, gwleidyddiaeth, cerddoriaeth a rhyddid. Roedd y bont honno yn arwain yn ddi-os tuag at ddaioni. Teimlais ryw lonyddwch yn llwch yr anghyfiawnder a'r boen a deyrnasodd ar y strydoedd tu allan hanner can mlynedd yn ôl. Teimlais ryw ryddid. Teimlais ein bod ni i gyd mewn man rhydd.

Ma 'na fan rhydd tu hwnt i dreialon poenus ac anochel bywyd. Ta beth yw ein galar, ein poen, ein treialon, ma'n rhaid i ni gerdded drwy'r niwl tuag ato. Ta beth yw gwrthrych ein ffydd, y peth pwysig yw daioni. Mae daioni yn gallu'n uno a dymchwel pob mur o ragfarn, casineb a thrais.

Atgofion drwy Ganeuon – y gyfres sy'n gefndir
i fiwsig ein dyddiau ni

Linda
yn adrodd straeon
SEIDR DDOE
ÔL EI DROED
PENTRE
LLANFIHANGEL
TÂN YN LLŶN
a chaneuon eraill

Ems
yn adrodd straeon
YNYS LLANDDWYN
COFIO DY WYNEB
PAPPAGIOS
Y FFORDD AC YNYS
ENLLI
a chaneuon eraill

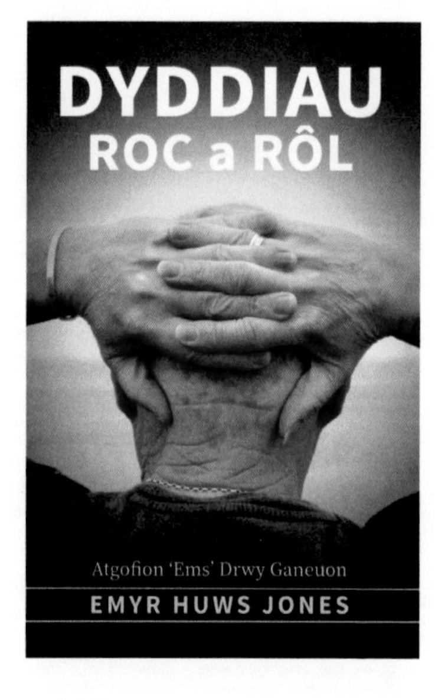

Doreen
yn adrodd straeon
RHOWCH I MI
GANU GWLAD
SGIDIAU GWAITH
FY NHAD
NANS O'R GLYN
TEIMLAD
CYNNES
a chaneuon eraill

Richard Ail Symudiad
yn adrodd straeon
Y FFORDD I
SENART
TRIP I LANDOCH
GRWFI GRWFI
CEREDIGION
MÔR A THIR
a chaneuon eraill

Y Cyrff

yn adrodd straeon

CYMRU LLOEGR A LLANRWST

ANWYBYDDWCH NI

DEFNYDDIA FI

IFANC A FFÔL

a chaneuon eraill

Geraint Davies

yn adrodd straeon

DEWCH I'R LLYSOEDD

HEI, MISTAR URDD

UGAIN MLYNEDD YN ÔL

CYW MELYN OLA

a chaneuon eraill